Das Erste Russische Lesebuch für Touristen

Lubov Babushkina

Das Erste Russische Lesebuch für Touristen

Zweisprachig mit Russisch-deutscher Übersetzung

Anfänger Stufe A1

Das Erste Russische Lesebuch für Touristen
von Lubov Babushkina

Audiodateien www.lppbooks.com/Russian/FRRT
Homepage www.audiolego.com

3. Ausgabe

Umschlaggestaltung: Audiolego Design
Umschlagfoto: Canstockphoto

Druck: KN Digital Printforce GmbH, Ferdinand-Jühlke-Straße 7, 99095 Erfurt

Оглавление
Inhaltsverzeichnis

Русский алфавит
Das russische Alphabet

Buchstabe	Handschrift	Name	IPA	Beispiel in Deutsch
Аа	Аа	а [a]	/a/	a in Mann
Бб	Бб	бэ [bɛ]	/b/ oder /b^{j}/	b in Bett
Вв	Вв	вэ [vɛ]	/v/ oder /v^{j}/	w in wer
Гг	Гг	гэ [gɛ]	/g/	g in gut, oder h in habe
Дд	Дд	дэ [dɛ]	/d/ oder /d^{j}/	d in das
Ее	Ее	е [je]	/je/ oder / ^{j}e/	je in jetzt
Ёё	Ёё	ё [jo]	/jo/ oder / ^{j}o/	jo in Johannes
Жж	Жж	жэ [ʐɛ]	/ʐ/	g in Giro, Genre
Зз	Зз	зэ [zɛ]	/z/ oder /z^{j}/	S in sagen
Ии	Ии	и [i]	/i/ oder / ^{j}i/	i in Tisch
Йй	Йй	и краткое	/j/	j in jetzt
Кк	Кк	ка [ka]	/k/ oder /k^{j}/	k in Katze
Лл	Лл	эл [el]	/l/ oder /l^{j}/	l in lesen
Мм	Мм	эм [ɛm]	/m/ oder /m^{j}/	m in Mantel
Нн	Нн	эн [ɛn]	/n/ oder /n^{j}/	n in nicht
Оо	Оо	о [o]	/o/	o in rot
Пп	Пп	пэ [pɛ]	/p/ oder /p^{j}/	p in putzen

Рр	Рр	эр [ɛr]	/r/ oder /r^j/	knurrende r
Сс	Сс	эс [ɛs]	/s/ oder /s^j/	s in was
Тт	Тт	тэ [tɛ]	/t/ oder /t^j/	t in Tisch
Уу	Уу	у [u]	/u/	u in Schuh
Фф	Фф	эф [ɛf]	/f/ oder /f^j/	f in fallen
Хх	Хх	ха [xa]	/x/	ch in hoch, soft ausatmen
Цц	Цц	це [t͡sɛ]	/t͡s/	z in Zoo
Чч	Чч	че [t͡ɕe]	/t͡ɕ/	tsch in Deutsch
Шш	Шш	ша [ʃa]	/ʃ/	sch in Tisch
Щщ	Щщ	ща [ɕɕa]	/ɕ/	sch long und hart
Ъъ	Ъъ	твёрдый знак	/j/	
Ыы	Ыы	ы [ɨ]	[ɨ]	i in Willy
Ьь	Ьь	мягкий знак	/ ^{j}/	
Ээ	Ээ	э [ɛ]	/e/	e in Bett
Юю	Юю	ю [ju]	/ju/ oder / ^{j}u/	ju in jung
Яя	Яя	я [ja]	/ja/ oder / ^{j}a/	ja in jammern

Русское произношение

Russische Aussprache

Betonung

Feste Betonungsregeln gibt es im Russischen nicht. Nur ё ist immer betont. Deswegen ist es wichtig, die Betonung gleich beim Lernen der russischen Vokabeln zu merken.

Betonte Vokale werden auf Russisch lang ausgesprochen. Unbetonte Vokale werden kurz ausgesprochen.

Vokale

Hart: а, о, у, ы, э

Weich: я, ё, ю, и, е

In folgenden Fällen werden weiche Vokale (außer 'и') auf Russisch mit einem j-Vorsatz ausgesprochen:

am Wortanfang wie in *ягода - jagada - Beere*

nach einem Vokal wie in *новая - nowaja - neue (weiblich)*

nach einem Weichzeichen (ь) *семья - ßimja - Familie*

nach einem Härtezeichen (ъ) *отъезд - otjezd - Abfahrt*

Aussprache von -o- im Russischen

Im Russischen wird der Buchstabe O deutlich als O ausgesprochen, wenn er betont wird. Die restlichen Os werden als reduzierte As ausgesprochen (d.h. kürzer und undeutlicher als ein betontes A). Im Wort "молоко" (Milch) wird nur das letzte O deutlich als O ausgesprochen, weil es betont ist. Die unbetonten Os werden hier als reduzierte As ausgesprochen. Das Wort "плохо" (schlecht) dagegen wird auf der ersten Silbe betont. Das unbetonte O am Ende wird als ein reduziertes A ausgesprochen.

Russische Konsonanten

Die meisten Konsonanten können im Russischen hart oder weich sein. Ob ein Konsonant hart oder weich ausgesprochen wird, erkennt man am darauf folgenden Buchstaben. Weich wird ein Konsonant, wenn ihm ein weicher Vokal (я, ё, ю, и, е) oder ein Weichzeichen (ь) folgt.

Harte Konsonanten:

борода - barada - Bart

рост - rost - Höhe

Weiche Konsonanten:

Валя - walia - Walia (Name)

любовь - lubov - Liebe

пить - pit - trinken

Immer hart sind die Konsonanten: ж, ш, ц

Immer weich sind die Konsonanten: ч, щ

Stimmhaft oder stimmlos

Im Russischen unterscheidet man zwischen stimmhaften und stimmlosen Konsonanten. Es gibt folgende Paare:

Stimmhaft: б, в, г, д, ж, з

Stimmlos: п, ф, к, т, ш, с

Stimmhafte russische Konsonanten werden stimmlos am Wortende und vor einem stimmlosen Konsonanten.

Beispiel stimmhaft:

дружба - druschba - Freundschaft

Beispiel stimmlos:

хлеб - chljep - Brot

идти - ittí - gehen

Immer stimmhaft sind: л, м, н, р, й

Immer stimmlos sind: х, ч, ц, щ.

So steuern Sie die Geschwindigkeit der Audiodateien

Das Buch ist mit den Audiodateien ausgestattet. Die Adresse der Homepage des Buches, wo Audiodateien zum Anhören und Herunterladen verfügbar sind, ist am Anfang des Buches auf der bibliographischen Beschreibung vor dem Copyright-Hinweis aufgeführt. Mithilfe von QR-Codes kann man im Handumdrehen eine Audiodatei aufrufen, ohne Webadressen manuell eingeben. Öffnen Sie einfach ihre Kamera-App und halten ihr Smartphone über den gedruckten QR-Code. Ihr Smartphone erkennt was sich hinter dem Code verbirgt und bittet Sie dem eingescannten Audiodateilink zu folgen.

Wir empfehlen Ihnen, den kostenlosen VLC-Mediaplayer zu verwenden, die Software, die zur Steuerung der Wiedergabegeschwindigkeit aller Audioformate verwendet werden kann. Die Steuerung der Geschwindigkeit ist auch einfach und erfordert nur wenige Klicks oder Tastatureingaben.

Android: Nach der Installation vom VLC Media Player klicken Sie auf die Audiodatei am Anfang eines Kapitels oder auf der Homepage des Buches, wenn Sie ein Papierbuch lesen. Wählen Sie "Open with VLC". Wenn Sie Schwierigkeiten beim Öffnen von Audiodateien mit VLC haben, ändern Sie die Standard-App für den Musik-Player. Gehen Sie zu Einstellungen→Apps, wählen Sie VLC und klicken Sie auf "Open by default" oder "Set default".

Kindle Fire: Nach der Installation vom VLC Media Player klicken Sie auf eine Audiodatei am Anfang eines Kapitels oder auf der Homepage des Buches, wenn Sie ein Papierbuch lesen. Wählen Sie "Complete action using →VLC".

iOS: Nach der Installation vom VLC Media Player kopieren Sie den Link zu der Audiodatei am Anfang eines Kapitels oder auf der Homepage des Buches, wenn Sie ein Papierbuch lesen, und fügen Sie ihn in den Download-Bereich des VLC Media Players ein. Nachdem der Download abgeschlossen ist, gehen Sie zu "Alle Dateien" und starten Sie die Audiodatei.

Windows: Starten Sie den VLC Media Player und klicken Sie auf die Audiodatei am Anfang eines Kapitels oder auf der Homepage des Buches, wenn Sie ein Papierbuch lesen. Gehen Sie nun in die Wiedergabe (Playback) und navigieren Sie die Geschwindigkeit.

MacOS: Starten Sie den VLC Media Player und klicken Sie auf die Audiodatei am Anfang eines Kapitels oder auf der Homepage des Buches, wenn Sie ein Papierbuch lesen. Nun, navigieren Sie zum Playback und öffnen die Optionen von Geschwindigkeit. Navigieren Sie die Geschwindigkeit.

Что это?

Was ist das?

Слова

1. автобус - der Bus
2. автобусный - Bus- (Adj.)
3. автовокзал - der Busbahnhof
4. аэропорт - der Flughafen
5. бар - die Bar
6. Барселона - Barcelona
7. белый - weiß
8. билет - die Fahrkarte
9. большой - groß
10. в - in, hinein
11. вокзал - der Bahnhof
12. время - die Zeit
13. город - die Stadt
14. гостиница - das Hotel
15. грязный - schmutzig
16. да - ja
17. девять - neun
18. дешёвый - billig

19. длинный - lang
20. для - für
21. до - bis, nach
22. дорогой - teuer
23. ж.д. - die Eisenbahn
24. за - hinter
25. и - und
26. из - von
27. Испания - Spanien
28. какой - welcher
29. касса - die Kasse
30. кафе - das Café
31. корабль - das Schiff
32. красивый - schön
33. магазин - das Kaufhaus, das Geschäft
34. маленький - klein
35. маршрут - der Weg, die Route
36. меню - die Speisekarte
37. место - der Platz, der Sitz
38. мост - die Brücke
39. на - auf
40. над - über
41. находиться - (dort) sein, sich befinden
42. номер - die Nummer (der Wohnung, des Telefons)
43. он - er
44. она - sie (Sing.)
45. оно - es
46. остановка - die Haltestelle
47. очень - sehr
48. парк - der Park
49. плохой - schlimm, schlecht
50. площадь - der Platz
51. погода - das Wetter
52. поезд - der Zug
53. понедельник - der Montag
54. привлекательный - attraktiv
55. пригород - der Vorort
56. река - der Fluss
57. ресторан - das Restaurant
58. Рим - Rom
59. самолёт - das Flugzeug
60. сегодня - heute
61. сейчас - jetzt
62. сколько - wie viel, wie viele
63. станция - der Bahnhof
64. столик - der Beistelltisch
65. такси - das Taxi
66. трамвай - die Straßenbahn
67. троллейбус - der Elektrobus
68. удобный - bequem
69. улица - die Straße
70. утро - der Morgen
71. хороший - gut
72. центр - das Zentrum
73. час - die Stunde
74. чистый - sauber
75. что - was
76. широкий - breit
77. это - das, es, dies

1

- Сегодня понедельник?
- Да. Сегодня понедельник.
- Сколько время?
- Сейчас девять часов утра.
- Какая сегодня погода?
- Погода сегодня хорошая.

2

- Что это?
- Это гостиница. Она большая. Она находится в парке. Гостиница хорошая.
- Что это?
- Это номер. Он большой. Он находится в гостинице. Номер дорогой и красивый.

3

- Что это?
- Это парк. Он маленький. Он находится в городе. Парк красивый.
- Что это?
- Это улица. Она широкая и длинная. Она находится в центре. Улица чистая.
- Что это?
- Это площадь. Она большая. Она находится в центре. Площадь привлекательная.

1

- Ist heute Montag?
- Ja. Heute ist Montag.
- Wie spät ist es?
- Es ist neun Uhr früh.
- Wie ist das Wetter heute?
- Heute ist das Wetter schön.

2

- Was ist das?
- Das ist ein Hotel. Es ist groß. Es befindet sich in einem Park. Das Hotel ist gut.
- Was ist das?
- Das ist ein Zimmer. Es ist groß. Es ist in einem Hotel. Das Zimmer ist teuer und schön.

3

- Was ist das?
- Das ist ein Park. Er ist klein. Er liegt in der Stadt. Der Park ist schön.
- Was ist das?
- Das ist eine Straße. Sie ist breit und lang. Sie liegt im Zentrum. Die Straße ist sauber.
- Was ist das?
- Das ist ein Platz. Er ist groß. Er liegt im Stadtzentrum. Der Platz ist attraktiv.

- Что это?
- Это мост. Он маленький. Он находится над рекой. Мост красивый.

4

- Что это за самолёт?
- Это самолёт до Испании. Он большой. Он находится в аэропорту. Самолёт дорогой.
- Что это за автобус?
- Это автобус до центра. Он большой и белый. Он находится на автовокзале. Автобус удобный.
- Что это за поезд?
- Это поезд до Рима. Он длинный. Он находится на ж.д. станции. Поезд чистый.

5

- Что это?
- Это место. Оно удобное. Оно находится в поезде. Место чистое.
- Что это?
- Это билет. Он для автобуса. Он из кассы. Билет дешёвый.

6

- Что это за корабль?
- Это корабль до Барселоны. Он большой. Корабль привлекательный.

7

- Что это за ресторан?
- Это дорогой и красивый ресторан. Он большой и хороший. Он находится на площади.

- Was ist das?
- Das ist eine Brücke. Sie ist klein. Sie führt über einen Fluss. Die Brücke ist schön.

4

- Was für ein Flugzeug ist das?
- Dieses Flugzeug fliegt nach Spanien. Es ist groß. Es steht auf dem Flugplatz. Das Flugzeug ist teuer.
- Was für ein Bus ist das?
- Das ist ein Bus zum Stadtzentrum. Er ist groß und weiß. Er steht am Busbahnhof. Der Bus ist bequem.
- Was für ein Zug ist das?
- Das ist der Zug nach Rom. Er ist lang. Er steht auf dem Bahnhof. Der Zug ist sauber.

5

- Was ist das?
- Das ist ein Sitzplatz. Er ist bequem. Er ist im Zug. Der Sitz ist sauber.
- Was ist das?
- Das ist eine Fahrkarte. Sie ist für den Bus. Sie ist von dem Kassenautomaten. Die Fahrkarte ist billig.

6

- Was für ein Schiff ist das?
- Das Schiff fährt nach Barcelona. Es ist groß. Das Schiff ist attraktiv.

7

- Was für ein Restaurant ist das?
- Das ist ein teures und schönes Restaurant. Es ist groß und gut. Es befindet sich auf dem Marktplatz.

- Что это за бар?
- Это маленький бар. Он находится на улице. Бар плохой.

8

- Что это за кафе?
- Это дешёвое и хорошее кафе. Оно маленькое. Оно находится в парке.

9

- Что это?
- Это столик. Он маленький и белый. Он находится в кафе. Столик чистый.
- Что это?
- Это меню. Оно длинное. Оно из ресторана. Меню хорошее.

10

- Что это за магазин?
- Это магазин дешёвый. Он большой и чистый. Он находится в городе.

11

- Что это?
- Это касса. Она маленькая. Она находится в магазине. Касса хорошая.

12

- Что это за трамвай?
- Это трамвай до автовокзала. Он длинный. Он находится на остановке. Трамвай белый.
- Что это за троллейбус?
- Это троллейбус до парка. Он большой. Он находится на остановке. Троллейбус чистый.

13

- Что это?

- Was für eine Bar ist das?
- Das ist eine kleine Bar. Sie liegt an der Straße. Die Bar ist schlecht.

8

- Was für ein Café ist das?
- Das ist ein billiges und gutes Café. Es ist klein. Es befindet sich im Park.

9

- Was ist das?
- Das ist ein Tisch. Er ist klein und weiß. Er steht in dem Café. Der Tisch ist sauber.
- Was ist das?
- Das ist die Speisekarte. Sie ist lang. Sie ist aus dem Restaurant. Die Speisekarte ist gut.

10

- Was für ein Geschäft ist das?
- Das Geschäft ist billig. Es ist groß und sauber. Es liegt in der Stadt.

11

- Was ist das?
- Das ist ein Kassenautomat. Er ist klein. Er ist in dem Geschäft. Der Kassenautomat ist gut.

12

- Welche Straßenbahn ist das?
- Das ist eine Straßenbahn zum Busbahnhof. Sie ist lang. Sie steht an der Haltestelle. Die Straßenbahn ist weiß.
- Welcher Oberleitungsbus ist das?
- Das ist der Oberleitungsbus zum Park. Er ist groß. Er steht an der Haltestelle. Der Oberleitungsbus ist sauber.

13

- Was ist das?

- Это такси. Оно чистое. Оно находится на улице. Такси дорогое.
- Что это?
- Это аэропорт. Он очень большой. Он находится в пригороде. Аэропорт хороший и чистый.
- Что это?
- Это ж.д. станция. Она маленькая. Она грязная.

14

- Что это?
- Это автовокзал. Он большой. Он находится на площади. Автовокзал чистый.
- Что это?
- Это автобусная остановка. Она чистая. Она находится в центре. Остановка маленькая.
- Что это за маршрут?
- Это маршрут до аэропорта. Он длинный. Он находится в городе. Это автобусный маршрут.

- Das ist ein Taxi. Es ist sauber. Es steht an der Straße. Das Taxi ist teuer.
- Was ist das?
- Das ist der Flughafen. Er ist sehr groß. Er liegt in dem Vorort. Der Flughafen ist nett und sauber.
- Was ist das?
- Das ist der Bahnhof. Er ist klein. Er ist schmutzig.

14

- Was ist das?
- Das ist der Busbahnhof. Er ist groß. Er liegt am Platz. Der Busbahnhof ist sauber.
- Was ist das?
- Das ist eine Bushaltestelle. Sie ist sauber. Sie liegt im Stadtzentrum. Die Bushaltestelle ist klein.
- Welche Strecke ist das?
- Das ist die Strecke zum Flughafen. Sie ist lang. Sie liegt in der Stadt. Es ist eine Busstrecke.

Aussprache

Den meisten russischen Buchstaben entspricht nur ein Klang.

Ё ist immer betont. **O** wird wie **a** ausgesprochen, falls es unbetont ist: молоко - [малако] *Milch.*

E wird wie **и** ausgesprochen, falls unbetont: менеджер - [мениджир] *Manager.*

Die Endung -го wird immer -во ausgesprochen: его - [ево] *ihn.*

Wenn ein Konsonant am Ende des Wortes erscheint, wird sein Klang schwächer.
б wird ausgesprochen wie п: клуб - [клуп] *Klub*
в wird ausgesprochen wie ф: Медведев - [мидведеф] *Medwedew (Familienname)*
г wird ausgesprochen wie к: маркетинг - [маркитинк] *Marketing*
д wird ausgesprochen wie т: шоколад - [шакалат] *Schokolade*
ж wird ausgesprochen wie ш: ложь - [лош] *Lüge*
з wird ausgesprochen wie с: каприз - [каприс] *Laune*

Verb быть *(sein)*

Das Verb быть fehlt normalerweise im Präsens:
Он студент. - *Er ist Student.*
Она дома. - *Sie ist zu Hause.*
Allerdings können als Ersatz dieses Verbs являться und находиться in einer formellen Situation benutzt werden: Он является студентом. - *Er ist Student.*
Она находится дома. - *Sie befindet sich zu Hause.*

Fragen nach Name

Как тебя/Вас зовут? *Wie heißt du?Wie heißen Sie?*
Как его зовут? *Wie heißt er?*
Как её зовут? *Wie heißt sie?*
Как их зовут? *Wie heißen Sie?*

Sagen Name

Меня зовут Аня. *Ich heiße Anja.*
Его зовут Евгений. *Er heißt Eugen.*
Её зовут Настя. *Sie heißt Nastja.*
Их зовут Алина и Михаил. *Sie heißen Alina und Michael.*

2.

Какая сегодня погода?

Wie ist das Wetter heute?

Слова

1. аккуратный - vorsichtig
2. американец - der Amerikaner
3. американка - die Amerikanerin
4. англичанин - der Engländer
5. англичанка - die Engländerin
6. бабушка - die alte Frau, die Oma
7. возле - bei, am
8. вторник - der Dienstag
9. Вы - ihr, Sie
10. высокий - groß
11. где - wo
12. гид - der (die) Fremdenführer(in)
13. девочка - das Mädchen
14. дедушка - der alte Mann, der Opa

15. десять - zehn
16. добрый - freundlich
17. женщина - die Frau
18. испанец - spanisch (adj.)
19. испанка - die Spanerin
20. итальянец - der Italiener
21. итальянка - die Italienerin
22. китаец - der Chinese
23. китаянка - die Chinesin
24. кто - wer
25. люди - die Leute
26. мальчик - der Junge
27. молодой - jung
28. мужчина - der Mann
29. немец - der Deutsche
30. немка - die Deutsche
31. нет - nein; gibt es nicht
32. низкий - niedrig
33. они - sie
34. сильный - stark
35. старый - alt
36. стройный - schlank
37. тоже - auch
38. турист - der (die) Tourist(in)
39. ты - du
40. француженка - die Französin
41. француз - der Franzose
42. эти / те - diese / jene
43. этот / тот - dieser / jener
44. я - ich

1

- Сегодня вторник?
- Да. Сегодня вторник.
- Сколько времени?
- Сейчас десять часов утра.
- Какая сегодня погода?
- Погода сегодня тоже хорошая.

2

- Кто этот мужчина?
- Этот мужчина американец. Он турист. Он высокий и сильный.
- Где он?
- Он в номере.

1

- Ist heute Dienstag?
- Ja, heute ist Dienstag.
- Wie spät ist es?
- Es ist jetzt zehn Uhr morgens.
- Wie ist das Wetter heute?
- Das Wetter ist heute auch schön.

2

- Wer ist der Mann?
- Dieser Mann ist ein Amerikaner. Er ist ein Tourist. Er ist groß und stark.
- Wo ist er?
- Er ist im Zimmer.

3

- Кто эта женщина?
- Эта женщина американка. Она стройная и привлекательная.
- Где она?
- Она тоже в номере.

4

- Кто эти люди?
- Эти люди американцы. Они туристы.
- Где они?
- Они на улице.

5

- Кто этот мальчик?
- Этот мальчик американец. Он маленький.
- Где он?
- Он в гостинице. Он тоже в номере.

6

- Кто эта девочка?
- Эта девочка американка. Она красивая и хорошая. Она турист.
- Где она?
- Она в парке.

7

- Кто этот мужчина?
- Этот мужчина немец. Он турист. Он низкий и сильный.
- Где он?
- Он в поезде.

8

- Кто этот дедушка?
- Этот дедушка немец. Он добрый и

3

- Wer ist diese Frau?
- Diese Frau ist eine Amerikanerin. Sie ist schlank und attraktiv.
- Wo ist sie?
- Sie ist auch im Zimmer.

4

- Wer sind diese Leute?
- Diese Leute sind Amerikaner. Sie sind Touristen.
- Wo sind sie?
- Sie sind draußen.

5

- Wer ist der Junge?
- Dieser Junge ist Amerikaner. Er ist klein.
- Wo ist er?
- Er ist im Hotel. Er ist auch im Zimmer.

6

- Wer ist dieses Mädchen?
- Dieses Mädchen ist Amerikanerin. Sie ist schön und gut. Sie ist eine Touristin.
- Wo ist sie?
- Sie ist im Park.

7

- Wer ist der Mann?
- Der Mann ist Deutscher. Er ist ein Tourist. Er ist klein und stark.
- Wo ist er?
- Er ist im Zug.

8

- Wer ist dieser alte Mann?
- Dieser alte Mann ist Deutscher. Er ist

хороший.

- Где он?

- Он в городе.

9

- Кто эта женщина?

- Эта женщина немка. Она турист. Она красивая.

- Где она?

- Она в парке.

10

- Кто эта девочка?

- Эта девочка немка. Она тоже турист. Она высокая и красивая.

- Где она?

- Она на площади.

11

- Кто эта бабушка?

- Эта бабушка немка. Она старая и добрая.

- Где она?

- Она в автобусе.

12

- Кто этот мальчик?

- Этот мальчик немец. Он турист. Он молодой и сильный.

- Где он?

- Он на автобусной остановке.

13

- Этот мужчина тоже немец?

- Нет. Этот мужчина француз. Он турист. Он аккуратный и хороший.

- Где он?

freundlich und gut.

- Wo ist er?

- Er ist in der Stadt.

9

- Wer ist diese Frau?

- Diese Frau ist Deutsche. Sie ist eine Touristin. Sie ist schön.

- Wo ist sie?

- Sie ist im Park.

10

- Wer ist das Mädchen?

- Das Mädchen ist Deutsche. Sie ist auch eine Touristin. Sie ist groß und schön.

- Wo ist sie?

- Sie ist auf dem Platz.

11

- Wer ist diese alte Frau?

- Diese alte Frau ist Deutsche. Sie ist alt und freundlich.

- Wo ist sie?

- Sie ist im Bus.

12

- Wer ist dieser Junge?

- Der Junge ist Deutscher. Er ist ein Tourist. Er ist jung und stark.

- Wo ist er?

- Er ist an der Bushaltestelle.

13

- Ist dieser Mann auch Deutscher?

- Nein. Dieser Mann ist Franzose. Er ist ein Tourist. Er ist vorsichtig und gut.

- Wo ist er?

- Он в поезде.

14

- Этот мальчик тоже немец?
- Нет. Этот мальчик француз. Он маленький.
- Где он?
- Он тоже в поезде.

15

- Эта женщина француженка?
- Да. Эта женщина француженка. Она турист.
- Где она?
- Она в ресторане. Она за столиком.

16

- Эта девочка американка?
- Нет. Эта девочка француженка.
- Где она?
- Она в парке. Она в кафе. Она за столиком.

17

- Эти люди тоже американцы?
- Нет. Эти люди французы. Они туристы.
- Где они?
- Они в городе. Они на улице.

18

- Этот мужчина англичанин?
- Да. Этот мужчина англичанин. Он турист. Он высокий и стройный.
- Где он?
- Он на корабле.

- Er ist im Zug.

14

- Ist dieser Junge auch ein Deutscher?
- Nein. Dieser Junge ist Franzose.
Er ist klein.
- Wo ist er?
- Er ist auch im Zug.

15

- Ist diese Frau Französin?
- Ja. Diese Frau ist Französin. Sie ist eine Touristin.
- Wo ist sie?
- Sie ist im Restaurant. Sie ist am Tisch.

16

- Ist dieses Mädchen Amerikanerin?
- Nein. Dieses Mädchen ist Französin.
- Wo ist sie?
- Sie ist im Park. Sie ist im Café. Sie ist am Tisch.

17

- Sind diese Leute auch Amerikaner?
- Nein. Diese Leute sind Franzosen. Sie sind Touristen.
- Wo sind sie?
- Sie sind in der Stadt. Sie sind draußen.

18

- Ist dieser Mann Engländer?
- Ja. Dieser Mann ist Engländer. Er ist ein Tourist. Er ist groß und schlank.
- Wo ist er?
- Er ist auf dem Schiff.

19

- Эта женщина тоже француженка?
- Нет. Эта женщина англичанка. Она стройная и привлекательная.
- Где она?
- Она в такси.

20

- Эти туристы тоже французы?
- Нет. Эти туристы англичане.
- Где они?
- Они в аэропорту. Они в самолёте.

21

- Этот мужчина итальянец?
- Да. Этот мужчина итальянец. Он турист. Он низкий и добрый.
- Где он?
- Он в баре.

22

- Этот мальчик тоже итальянец?
- Да. Этот мальчик итальянец. Он хороший.
- Где он?
- Он на остановке. Он возле автобуса.

23

- Эта женщина тоже англичанка?
- Нет. Эта женщина итальянка. Она привлекательная.
- Где она?
- Она в городе. Она на мосту.

24

- Эта девочка тоже англичанка?
- Нет. Эта девочка итальянка. Она

19

- Ist diese Frau auch Französin?
- Nein. Diese Frau ist Engländerin. Sie ist schlank und attraktiv.
- Wo ist sie?
- Sie ist in einem Taxi.

20

- Sind diese Touristen auch Franzosen?
- Nein. Diese Touristen sind Briten.
- Wo sind sie?
- Sie sind im Flughafen. Sie sind im Flugzeug.

21

- Ist dieser Mann Italiener?
- Ja. Dieser Mann ist Italiener. Er ist ein Tourist. Er ist klein und freundlich.
- Wo ist er?
- Er ist an der Bar.

22

- Ist dieser Junge auch Italiener?
- Ja. Dieser Junge ist Italiener. Er ist gut.
- Wo ist er?
- Er ist an der Bushaltestelle. Er steht bei dem Bus.

23

- Ist diese Frau auch Engländerin?
- Nein. Diese Frau ist Italienerin. Sie ist attraktiv.
- Wo ist sie?
- Sie ist in der Stadt. Sie ist auf der Brücke.

24

- Ist dieses Mädchen auch Engländerin?
- Nein. Dieses Mädchen ist Italienerin. Sie

маленькая.

- Где она?

- Она в городе. Она тоже на мосту.

25

- Этот дедушка испанец?

- Да. Этот дедушка испанец. Он турист. Он старый.

- Где он?

- Он на площади.

26

- Эта бабушка тоже испанка?

- Да. Эта бабушка испанка. Она турист.

- Где она?

- Она на остановке.

27

- Эти туристы тоже испанцы?

- Да. Эти туристы испанцы.

- Где они?

- Они в магазине. Они на кассе.

28

- Этот мужчина тоже испанец?

- Нет. Этот мужчина китаец. Он турист. Он низкий и маленький.

- Где он?

- Он на автовокзале.

29

- Эта женщина тоже китаянка?

- Да. Эта женщина тоже китаянка. Она турист. Она маленькая и стройная.

- Где она?

- Она на площади.

ist klein.

- Wo ist sie?

- Sie ist in der Stadt. Sie ist auch auf der Brücke.

25

- Ist dieser alte Mann Spanier?

- Ja. Dieser alte Mann ist Spanier. Er ist ein Tourist. Er ist alt.

- Wo ist er?

- Er ist auf dem Platz.

26

- Ist diese alte Frau auch Spanierin?

- Ja. Diese alte Frau ist Spanierin. Sie ist eine Touristin.

- Wo ist sie?

- Sie ist an der Bushaltestelle.

27

- Sind diese Touristen auch Spanier?

- Ja. Diese Touristen sind Spanier.

- Wo sind sie?

- Sie sind im Geschäft. Sie sind an der Kasse.

28

- Ist dieser Mann auch Spanier?

- Nein. Dieser Mann ist Chinese. Er ist ein Tourist. Er ist klein und dünn.

- Wo ist er?

- Er ist an der Bushaltestelle.

29

- Ist diese Frau auch Chinesin?

- Ja. Diese Frau ist auch Chinesin. Sie ist eine Touristin. Sie ist klein und schlank.

- Wo ist sie?

- Sie ist auf dem Platz.

30

- Эти люди китайцы?
- Да. Эти люди китайцы. Они туристы.
- Где они?
- Они на ж.д. вокзале. Они в поезде.

31

- Вы американец?
- Да. Я американец. Я в гостинице.
- Ты тоже турист?
- Нет. Я гид.

30

- Sind diese Leute Chinesen?
- Ja. Diese Leute sind Chinesen. Sie sind Touristen.
- Wo sind sie?
- Sie sind auf dem Bahnhof. Sie sind im Zug.

31

- Sind Sie Amerikaner?
- Ja. Ich bin Amerikaner. Ich bin in einem Hotel.
- Sind Sie auch ein(e) Tourist(in)?
- Nein. Ich bin ein(e) Fremdenführer(in).

Geschlecht der Substantive

Substantive haben keinen Artikel. Es gibt drei Geschlechter: Maskulinum, Femininum und Neutrum. Das Geschlecht der Substantive, sowohl lebendige (belebt) als auch Gegenstände (unbelebt), werden von der Endung des Wortes bestimmt.

Substantive im Maskulinum enden mit einem Konsonant oder -й: город (Stadt), номер (Nummer), диджей (DJ). Die wichtigsten Ausnahmen: папа (Vater), дядя (Onkel), мужчина (Mann).

Substantive im Femininum enden normalerweise mit -а oder -я: фамилия (Familienname), фирма (Firma).

Substantive im Neutrum enden mit -о oder -е: отчество (Vatersname), здание (Gebäude). Die Hauptausnahme: имя (Name)

Die meisten Substantive mit der Endung -ь sind Maskulinum oder Femininum: сеть (Netz, Fem.), день (Tag, Mask.), стиль (Stil, Mask.).

Demonstrativpronomen

Das Demonstrativpronomen wird benutzt, um auf ein Substantiv oder seine Eigenschaften zu zeigen. Die Russischen Demonstrativpronomen sind этот (dieser) and тот (jener).

Das Pronomen этот (dieser) wird benutzt, um etwas Nahegelegenes zu bezeichnen:
Этот журнал на русском языке. Diese Zeitschrift ist auf Russisch.
Das Pronomen тот (jener) wird benutzt um etwas nicht Nahgelegenes zu bezeichnen:
Тот журнал на английском языке. Jene Zeitschrift ist auf Englisch.
Тот (jener) kann als zweites Glied bei Entgegenstellung benutzt werden. Vergleiche:
Этот дом мой, а тот моего друга. Dieses Haus ist mein, und jenes von meinem Freund. .
Этот студент работает в торговой фирме, а тот студент работает администратором компьютерной сети. Dieser Student arbeitet bei einem Handelsunternehmen und jener Student als Administrator eines PC-Netzes.
Maskulinum - этот (dieser), тот (jener):
Этот дом находится за магазином. Dieses Haus befindet sich hinter dem Geschäft.
Neutrum - это (dieses), то (jenes):
Я люблю ходить в это кафе. Ich besuche dieses Café gerne.
Femininum - эта (diese), та (jene):
Эта картина не новая. Dieses Bild ist nicht neu.
Plural - эти (diese), те (jene):
Приятно читать эти книги. Es ist angenehm diese Bücher zu lesen.

Вы можете мне помочь?

Können Sie mir helfen?

Слова

1. а - und
2. аптека - das Geschäft
3. болеть - krank sein, schmerzen
4. брошюра - der Prospekt
5. велосипед - das Fahrrad
6. ветер - der Wind
7. взять - nehmen
8. вместе - zusammen
9. вот - hier ist / sind
10. голова - der Kopf
11. давай - los; lasst uns
12. дать - geben
13. двенадцать - zwölf
14. день - der Tag
15. деньги - das Geld
16. есть - essen; haben

17. ещё - noch; mehr
18. знать - wissen
19. идти - gehen
20. карта - die (Land)karte
21. кататься - fahren
22. ключ - der Schlüssel
23. конечно - natürlich
24. куда - wohin
25. купить - kaufen
26. лекарство - das Medikament
27. лыжи - der Ski
28. можно - möglich, können, dürfen
29. найти - finden
30. научить - lehren, beibringen
31. не - nicht
32. нужно - notwendig, müssen
33. о - über, von
34. пожалуйста - bitte
35. помочь - helfen
36. продаваться - verkauft werden
37. работать - arbeiten
38. ручка - der Handgriff, der Kugelschreiber
39. с - mit
40. свой - eigenes,-e,-er
41. сим-карта - die SIM-Karte
42. случиться - passieren
43. смотреть - beobachten
44. сноуборд - das Snowboard
45. спасибо - danke
46. среда - der Mittwoch
47. сумка - das Portmonee, die Tasche
48. также - auch
49. театр - das Theater
50. телефон - das Telefon
51. тяжёлый - schwer
52. у - bei
53. уметь - können
54. учиться - lernen
55. фотоаппарат - die Kamera
56. холодно - kalt
57. час - die Stunde
58. чемодан - der Koffer
59. читать - lesen
60. язык - die Sprache

1

- Сегодня среда?
- Нет. Сегодня вторник.
- Сколько времени?
- Сейчас двенадцать часов дня.

1

- Ist heute Mittwoch?
- Nein,(ist es nicht). Heute ist Dienstag.
- Wie spät ist es?
- Es ist jetzt zwölf Uhr.

- Какая сегодня погода?

- Погода сегодня плохая. Холодно и сильный ветер.

2

- У Вас есть фотоаппарат?

- Да. У меня есть фотоаппарат.

- Можно взять Ваш фотоаппарат?

- Нет. Он очень дорогой.

3

- У Вас есть ручка?

- Нет.

- Где можно купить ручку?

- Ручку можно купить в магазине возле гостиницы.

4

- У Вас есть карта?

- Да. У меня есть карта.

- Можно посмотреть Вашу карту?

- Да. Возьмите, пожалуйста.

5

- У Вас есть телефон?

- Да. У меня есть телефон.

- Можно взять Ваш телефон?

- Да. Возьмите, пожалуйста.

6

- Вы можете мне помочь?

- Да, конечно.

- Где можно купить сим-карту?

- Сим-карту можно купить в магазине возле гостиницы.

7

- Вы можете мне помочь?

- Wie ist das Wetter heute?

- Das Wetter ist schlecht heute. Es ist kalt und der Wind ist stark.

2

- Haben Sie eine Kamera?

- Ja. Ich habe eine Kamera.

- Kann ich Ihre Kamera haben?

- Nein. Sie ist sehr teuer.

3

- Haben Sie einen Kugelschreiber?

- Nein.

- Wo kann ich einen Kugelschreiber kaufen?

- Sie können einen Kugelschreiber im Geschäft neben dem Hotel kaufen.

4

- Haben Sie eine Landkarte?

- Ja. Ich habe eine Karte.

- Darf ich Ihre Karte anschauen?

- Ja, bitte nehmen Sie diese.

5

- Haben Sie ein Telefon?

- Ja. Ich habe ein Telefon.

- Kann ich Ihr Telefon benutzen?

- Ja. Bitte nehmen Sie es.

6

- Können Sie mir helfen?

- Ja, natürlich.

- Wo kann ich eine SIM-Karte kaufen?

- Sie können eine SIM-Karte im Geschäft in der Nähe des Hotels kaufen.

7

- Können Sie mir helfen?

- Ja. Wie kann ich Ihnen helfen?

- Да. Как я могу помочь Вам?
- Вы можете мне помочь с чемоданами? Они очень тяжёлые.
- Да, конечно.

8

- Вы можете мне помочь?
- Что случилось?
- Я не могу найти свой ключ.
- Вот он!
- О, спасибо!

9

- Вы можете помочь мне с сумками? Они очень тяжёлые.
- Да. Куда Вам нужно идти?
- В гостиницу. Спасибо Вам большое.
- Пожалуйста.

10

- Вы можете помочь мне купить сувениры?
- Да, конечно.
- Где можно купить сувениры?
- Сувениры продаются в магазине на площади.

11

- У Вас есть брошюра?
- Да. У меня есть брошюра.
- Вы можете прочитать мне её? Я не знаю этот язык.
- Да. Я могу прочитать её Вам.

12

- Где можно купить билеты в театр?
- Билеты в театр можно купить в

- Können Sie mir mit den Koffern helfen? Sie
sind sehr schwer.
- Ja, natürlich.

8

- Können Sie mir helfen?
- Was ist passiert?
- Ich kann meinen Schlüssel nicht finden.
- Hier ist er!
- Oh, danke!

9

- Können Sie mir bei diesen Taschen helfen? Sie sind sehr schwer.
- Ja. Wohin müssen Sie?
- Zum Hotel. Vielen Dank.
- Bitte.

10

- Können Sie mir helfen, Souvenirs zu kaufen?
- Ja, natürlich.
- Wo kann ich Souvenirs kaufen?
- Souvenirs werden im Geschäft am Platz verkauft.

11

- Haben Sie einen Prospekt?
- Ja. Ich habe einen Prospekt.
- Können Sie ihn mir vorlesen? Ich kenne diese Sprache nicht.
- Ja. Ich kann ihn vorlesen.

12

- Wo kann ich Theaterkarten kaufen?
- Sie können Karten für das Theater an der

кассе.

- А где ещё можно их купить?

- Билеты также продают на улице возле парка.

13

- Где можно купить лекарства?

- Вы больны?

- У меня болит голова.

- Вы можете купить лекарства в аптеке возле гостиницы.

14

- У вас есть деньги?

- Да, у меня есть деньги.

- Вы можете дать мне денег?

- Нет! Иди работай!

15

- Вы умеете кататься на лыжах?

- Да. Я умею кататься на лыжах.

- Вы можете меня научить?

- Да, я могу Вас научить кататься на лыжах.

16

- Вы можете помочь мне со сноубордом?

- Да. А что случилось?

- Я не умею кататься на сноуборде. Вы можете меня научить?

- Я не умею кататься на сноуборде тоже. Давайте учиться вместе.

17

- Вы умеете кататься на велосипеде?

- Да. Я умею кататься на велосипеде.

Theaterkasse kaufen.

- Und wo kann man sie noch kaufen?

- Sie verkaufen Karten auch draußen beim Park.

13

- Wo kann ich Medikamente kaufen?

- Sind Sie krank?

- Ich habe Kopfschmerzen.

- Sie können Medikamente in der Apotheke in der Nähe des Hotels kaufen.

14

- Haben Sie Geld?

- Ja, ich habe Geld.

- Können Sie mir Geld geben?

- Nein! Gehen Sie arbeiten!

15

- Können Sie Ski fahren?

- Ja. Ich kann Ski fahren.

- Können Sie mir Skifahren beibringen?

- Ja, ich kann Ihnen Skifahren beibringen.

16

- Können Sie mir beim Snowboarden helfen?

- Ja. Was ist passiert?

- Ich kann nicht snowboarden. Können Sie mir das beibringen?

- Ich kann auch nicht snowboarden. Lassen Sie es uns zusammen lernen.

17

- Können Sie Rad fahren?

- Ja. Ich kann Rad fahren.

- Вы можете меня научить?
- Können Sie es mir beibringen?
- Да, я могу Вас научить кататься на велосипеде.
- Ja, ich kann Ihnen Radfahren beibringen.

Plural der Substantive

Die Meisten Substantive im Maskulinum und Femininum haben im Plural (Nominativ) die Endung -ы, falls der Wortstamm mit einem hartem Konsonanten endet: фирма - фирмы, телефон - телефоны.
Substantive mit Endungen -а und -я verlieren diese: мужчина - мужчины Mann - Männer, женщина - женщины Frau - Frauen.
Wenn der Wortstamm mit weichem Konsonant oder г, ж, к, х, ч, ж, ш, щ endet, ist die Plural-Endung -и: книга - книги Buch - Bücher, банк - банки Bank - Banken.
Das weiche Zeichen (-ь) entfällt dabei: день - дни Tag - Tage.
Substantive im Neutrum mit der Endung -о haben im Plural die Endung -а: окно - окна das Fenster - die Fenster.
Substantive im Neutrum mit der Endung -е haben im Plural die Endung -я: здание - здания das Gebäude - die Gebäude.

Geschlecht der Adjektive

Adjektive stimmen mit Substantiven und Pronomen nach Zahl, Geschlecht und Kasus überein.
Für das Maskulinum sind die Endungen eigen: -ый, -ий, -ой: русский город - eine russische Stadt, компьютерный магазин - Computer Geschäft, молодой человек - ein junger Mann.
Für das Femininum sind die Endungen -ая: русская книга - ein russisches Buch, стройная женщина - eine schlanke Frau.
Für das Neutrum sind die Endungen - ое, -ее: большое синее озеро - ein großer blauer See, новое здание - ein neues Gebäude, .
Für den Plural sind die Endungen für alle Geschlechter gleich -ые, -ие: американские

студенты - amerikanische Studenten, новые русские фильмы - neue russische Filme.

Kurze Form der Adjektive

Es gibt eine kurze Form der Adjektive. Sie wird immer nach Substantiven oder Pronomen benutzt:

Он молод. Er ist jung. Vergleiche: Он молодой человек.

Аня молода. Anja ist jung. Vergleiche: Аня молодая девушка.

Это место свободно. Dieser Platz ist frei. Vergleiche: Свободное место там.

Эти места свободны. Diese Plätze sind frei. Vergleiche: Свободные места там.

Я должен заказать книгу

Ich muss ein Buch bestellen

Слова

1. вечер - der Abend
2. Германия - Deutschland
3. год - das Jahr
4. горло - die Kehle
5. два - zwei
6. делать - machen
7. дождь - der Regen
8. должен - müssen
9. ехать - fahren
10. завтра - morgen
11. заказать - bestellen, buchen
12. книга - das Buch
13. месяц - der Monat
14. минута - die Minute

15. музей - das Museum
16. наверное - wahrscheinlich
17. неделя - die Woche
18. ночь - die Nacht
19. обед - der Mittag, dass Mittagessen
20. писать - schreiben
21. платить - bezahlen
22. после - nach
23. послезавтра - übermorgen
24. пять - fünf
25. СМС - die SMS
26. сувенир - das Souvenir
27. фотографировать - ein Foto machen
28. через - durch, in
29. четверг - der Donnerstag

1

- Сегодня четверг?
- Да. Сегодня четверг.
- Сколько времени?
- Сейчас два часа дня.
- Какая сегодня погода?
- Погода сегодня плохая. Идёт дождь.

2

- Что Вы должны делать?
- Я должен идти в гостиницу.
- Вы должны идти в гостиницу сейчас?
- Нет. Я должен идти в гостиницу через час.

3

- Что он должен делать?
- Он должен купить билет.
- Он должен купить билет завтра?
- Нет. Ему нужно купить билет сейчас.

4

- Куда она должна идти?

1

- Ist heute Donnerstag?
- Ja. Heute ist Donnerstag.
- Wie spät ist es?
- Es ist zwei Uhr nachmittags.
- Wie ist das Wetter heute?
- Das Wetter ist heute schlecht. Es regnet.

2

- Was müssen Sie machen?
- Ich muss zum Hotel gehen.
- Müssen Sie jetzt zum Hotel gehen?
- Nein. Ich muss in einer Stunde zum Hotel gehen.

3

- Was muss er machen?
- Er muss eine Fahrkarte kaufen.
- Muss er morgen eine Fahrkarte kaufen?
- Nein. Er muss jetzt eine Fahrkarte kaufen.

4

- Wohin muss sie gehen?

- Она должна идти в магазин.
- Ей нужно идти в магазин сейчас?
- Нет. Она может пойти в магазин через час.

5

- Куда Вам нужно ехать?
- Я должен поехать в парк.
- Вы можете поехать на автобусе?
- Да. Я могу поехать на автобусе.
- Вы должны ехать сейчас?
- Да. Наверное, я должен ехать сейчас.

6

- Что Вы должны делать?
- Я должен написать e-mail.
- Вы должны написать e-mail сейчас?
- Нет. Я могу написать e-mail после обеда.

7

- Что Вы должны делать?
- Я должен посмотреть музей.
- Вы должны посмотреть музей завтра?
- Нет. Я должен посмотреть музей сегодня.

8

- Что она должна делать сегодня?
- Она должна сфотографировать парк.
- Она должна сфотографировать парк сейчас?
- Нет. Она может сфотографировать парк после обеда.

9

- Что он должен делать?

- Sie muss in das Geschäft gehen.
- Muss sie jetzt in das Geschäft gehen?
- Nein. Sie kann in einer Stunde in das Geschäft gehen.

5

- Wohin müssen Sie gehen?
- Ich muss in den Park gehen.
- Können Sie mit dem Bus fahren?
- Ja. Ich kann mit dem Bus fahren.
- Müssen Sie jetzt fahren?
- Ja. Ich denke, ich muss jetzt fahren.

6

- Was müssen Sie machen?
- Ich muss eine E- Mail schreiben.
- Müssen Sie die E- Mail jetzt schreiben?
- Nein. Ich kann die E- Mail am Nachmittag schreiben.

7

- Was müssen Sie machen?
- Ich muss das Museum besuchen.
- Müssen Sie das Museum morgen besuchen?
- Nein. Ich muss das Museum heute besuchen.

8

- Was muss sie heute machen?
- Sie muss ein Foto vom Park machen.
- Muss sie jetzt ein Foto vom Park machen?
- Nein. Sie kann am Nachmittag ein Foto vom Park machen.

9

- Was muss er machen?

- Он должен прочитать брошюру.
- Он должен прочитать брошюру до обеда?
- Да. Он должен прочитать брошюру до обеда.

10

- Что Вы должны делать завтра?
- Я должен заказать книгу.
- Вы можете заказать книгу в понедельник?
- Да. Я могу заказать книгу в понедельник.

11

- Что она должна делать вечером?
- Она должна написать СМС.
- Она может написать СМС ночью?
- Да. Она может написать СМС ночью.

12

- Что они должны делать?
- Они должны заплатить за самолёт.
- Они должны заплатить за самолёт сегодня?
- Да. Они должны заплатить за самолёт после обеда.

13

- Куда она должна идти?
- Она должна идти на автобусную остановку.
- Ей нужно идти на остановку сейчас?
- Нет. Она может идти на остановку через пять минут.

- Er muss den Prospekt lesen.
- Muss er den Prospekt vor dem Mittag lesen?
- Ja. Er muss den Prospekt vor dem Mittag lesen.

10

- Was müssen Sie morgen machen?
- Ich muss ein Buch bestellen.
- Können Sie das Buch am Montag bestellen?
- Ja. Ich kann das Buch am Montag bestellen.

11

- Was muss sie am Abend machen?
- Sie muss eine SMS schreiben.
- Kann sie die SMS in der Nacht schreiben?
- Ja. Sie kann die SMS in der Nacht schreiben.

12

- Was müssen sie machen?
- Sie müssen den Flug bezahlen.
- Müssen sie den Flug heute bezahlen?
- Ja. Sie müssen den Flug am Nachmittag bezahlen.

13

- Wohin muss sie gehen?
- Sie muss zu einer Bushaltestelle gehen.
- Muss sie jetzt zu der Haltestelle gehen?
- Nein. Sie kann in fünf Minuten zu der Haltestelle gehen.

14

- Куда Вам нужно ехать?
- Я должен поехать на площадь.
- Вы можете поехать на такси?
- Да. Я могу поехать на такси.
- Вы должны ехать сейчас?
- Да. Наверное, я должен ехать сейчас.

15

- Что он должен делать?
- Он должен купить сувениры.
- Он должен купить сувениры завтра?
- Он может купить сувениры завтра или послезавтра.

16

- Что Вы должны делать?
- Я должен посмотреть карту.
- Вам нужно посмотреть её завтра?
- Нет. Я должен посмотреть карту сейчас.

17

- Что Вы должны делать в этом году?
- Я должен поехать в Германию.
- Вы должны поехать в Германию в этом месяце?
- Я должен поехать в Германию на этой неделе.

18

- Что она должна делать?
- Она должна купить лекарства. У неё болит горло.
- Она может купить лекарства после обеда?

14

- Wohin müssen Sie gehen?
- Ich muss zu dem Platz gehen.
- Können Sie mit dem Taxi fahren?
- Ja. Ich kann mit dem Taxi fahren.
- Müssen Sie jetzt fahren?
- Ja. Ich denke, ich muss jetzt fahren.

15

- Was muss er machen?
- Er muss Souvenirs kaufen.
- Muss er morgen Souvenirs kaufen?
- Er kann morgen oder übermorgen Souvenirs kaufen.

16

- Was müssen Sie machen?
- Ich muss mir eine Landkarte ansehen.
- Müssen Sie sie morgen ansehen?
- Nein. Ich muss die Karte jetzt ansehen.

17

- Was müssen Sie dieses Jahr machen?
- Ich muss nach Deutschland fahren.
- Müssen Sie in diesem Monat nach Deutschland fahren?
- Ich muss in dieser Woche nach Deutschland fahren.

18

- Was muss sie machen?
- Sie muss Medikamente kaufen. Sie hat Halsschmerzen.
- Kann sie die Medikamente am Nachmittag kaufen?

- Да. Она, наверное, может купить лекарства после обеда.

- Ja. Wahrscheinlich kann sie die Medikamente am Nachmittag kaufen.

Infinitive

Der Infinitiv des Verbs ist die Grundform, die im Wörterbuch steht. Verben im Infinitiv enden mit -ать, -ить, -еть, -оть, -ти oder -ся (für reflexive Verben): говорить, читать, удивляться.

Reflexive Verben

Diese Verben zeigen die Handlung, die in einem Satz auf das Subjekt selbst gerichtet wird. Die Standardform dieser Verben hat die Endung -ся:
умываться - sich waschen, бриться - sich rasieren, улыбаться - lächeln, бояться - Angst haben.

Aussprache

улыбаться - [улыбаца] (lächeln)
бояться - [баяца] (Angst haben)
сердиться - [сердица] (sich ärgern)
греться - [греца] (sich wärmen)
бороться - [бароца] (kämpfen)

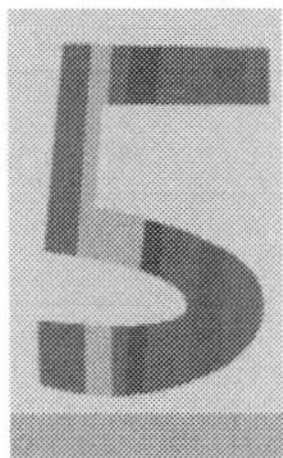

Я собираюсь купить билет

Ich werde eine Fahrkarte kaufen

Слова

1. Англия - England
2. во - in, hinein
3. одиннадцать - elf
4. планировать - vorhaben
5. посетить - besuchen
6. пятница - der Freitag
7. собираться - erwas vorhaben
8. солнце - die Sonne
9. там - dort
10. тепло - warm
11. хотеть - wollen

1

- Сегодня пятница?
- Да. Сегодня пятница.
- Сколько времени?
- Сейчас одиннадцать часов утра.
- Какая сегодня погода?
- Погода сегодня хорошая. Тепло и солнце.

2

- Что Вы собираетесь делать?
- Я собираюсь поехать в Испанию.
- Вы собираетесь поехать в Испанию в этом месяце?
- Да. Я хочу поехать в Испанию в этом месяце.

3

- Что она собирается делать?
- Она собирается заказать номер в гостинице.
- Она собирается заказать номер сейчас?
- Нет. Она хочет заказать номер в гостинице после обеда.

4

- Что Вы хотите делать?
- Я хочу купить билет до Рима.
- Вы собираетесь купить билет до обеда?

1

- Ist heute Freitag?
- Ja. Heute ist Freitag.
- Wie spät ist es?
- Es ist elf Uhr früh.
- Wie ist das Wetter heute?
- Das Wetter ist heute gut. Es ist heiß und sonnig.

2

- Was wollen Sie machen?
- Ich werde nach Spanien fahren.
- Werden Sie in diesem Monat nach Spanien fahren?
- Ja. Ich will in diesem Monat nach Spanien fahren.

3

- Was wird sie machen?
- Sie wird ein Hotelzimmer buchen.
- Wird sie jetzt ein Zimmer buchen?
- Nein. Sie will am Nachmittag ein Hotelzimmer buchen.

4

- Was möchten Sie machen?
- Ich möchte eine Fahrkarte nach Rom kaufen.
- Wollen Sie eine Fahrkarte vor dem Mittag kaufen?
- Nein. Ich will am Nachmittag eine

- Нет. Я планирую купить билет после обеда.

5

- Что он хочет делать?
- Он хочет посетить музей.
- Он хочет посетить музей на этой неделе?
- Да. Он планирует посетить музей завтра.

6

- Куда Вы планируете поехать?
- Я собираюсь поехать в Англию.
- Вы хотите поехать в Англию в этом месяце?
- Нет. Я собираюсь поехать через два месяца.

7

- Что Вы должны делать?
- Я должен посетить парк.
- Вы хотите посетить парк сейчас?
- Нет. Я планирую посетить парк вечером.

8

- Что Вы хотите делать?
- Я собираюсь купить лекарства.
- Вы планируете купить лекарства сегодня?
- Да. Я хочу купить лекарства после обеда. У меня болит голова.
- Вы собираетесь купить лекарства в аптеке возле гостиницы?
- Да. Я собираюсь купить их там.

Fahrkarte kaufen.

5

- Was möchte er machen?
- Er möchte ein Museum besuchen.
- Möchte er in dieser Woche das Museum besuchen?
- Ja. Er wird das Museum morgen besuchen.

6

- Wohin werden Sie fahren?
- Ich werde nach England fahren.
- Möchten Sie in diesem Monat nach England fahren?
- Nein. Ich werde in zwei Monaten fahren.

7

- Was müssen Sie machen?
- Ich muss den Park besuchen.
- Möchten Sie den Park jetzt besuchen?
- Nein. Ich werde den Park am Abend besuchen.

8

- Was möchten Sie machen?
- Ich werde Medikamente kaufen.
- Werden Sie heute Medikamente kaufen?
- Ja. Ich möchte Medikamente am Nachmittag kaufen. Mein Kopf schmerzt.
- Werden Sie die Medikamente in der Apotheke in der Nähe des Hotels kaufen?
- Ja. Ich werde sie dort kaufen.

9

- Что она хочет делать вечером?
- Она хочет написать СМС.
- Она может написать имэйл ночью?
- Да. Она, наверное, может написать имэйл ночью.

10

- Куда он собирается ехать?
- Он собирается поехать на площадь.
- Он может поехать на автобусе?
- Да. Он может поехать на автобусе.
- Он должен ехать сейчас?
- Нет. Наверное, он собирается ехать после обеда.

11

- Что Вы планируете делать?
- Я планирую поехать в Барселону.
- Вы планируете поехать в Барселону в этом месяце?
- Я планирую поехать в Барселону на этой неделе.
- Вы собираетесь заказать билет на самолёт?
- Да. Я собираюсь заказать билет сегодня.

12

- Что она планирует делать?
- Она планирует поехать в Германию.
- Она собирается поехать в этом месяце?
- Да. Она собирается поехать в Германию на этой неделе.

9

- Was möchte sie am Abend machen?
- Sie möchte eine SMS schreiben
- Kann sie am Abend eine E-Mail schreiben?
- Ja. Sie kann wahrscheinlich am Abend eine E-Mail schreiben.

10

- Wohin wird er gehen?
- Er wird zu dem Platz gehen.
- Kann er mit dem Bus fahren?
- Ja. Er kann mit dem Bus fahren.
- Muss er jetzt fahren?
- Nein. Er wird wahrscheinlich am Nachmittag fahren.

11

- Was werden Sie machen?
- Ich werde nach Barcelona fahren.
- Werden Sie in diesem Monat nach Barcelona fahren?
- Ich werde in dieser Woche nach Barcelona fahren.
- Werden Sie ein Flugticket buchen?
- Ja. Ich werde heute ein Ticket buchen.

12

- Was wird sie machen?
- Sie wird nach Deutschland fahren.
- Wird sie in diesem Monat fahren?
- Ja. Sie wird in dieser Woche nach Deutschland fahren.

13

- Что Вы собираетесь делать завтра?
- Я должен заказать столик в ресторане.
- Вы можете заказать столик во вторник?
- Да. Я могу заказать столик во вторник.

14

- Что он должен делать?
- Он должен купить ручку.
- Он собирается купить ручку завтра?
- Нет. Он собирается купить ручку сегодня.

15

- Что Вы должны делать?
- Я, наверное, должен посетить музей.
- Вы собираетесь посетить музей сейчас?
- Нет. Я планирую посетить музей вечером.

16

- Что Вы собираетесь делать?
- Я собираюсь купить билет.
- Вы планируете купить билет сегодня?
- Нет. Я планирую купить его послезавтра.

17

- Что Вы должны делать завтра?
- Я должен прочитать брошюру.
- Вы можете прочитать брошюру в среду?
- Да. Я могу прочитать брошюру в среду.

13

- Was werden Sie morgen machen?
- Ich muss einen Tisch in einem Restaurant reservieren.
- Können Sie am Dienstag einen Tisch resevieren?
- Ja. Ich kann am Dienstag einen Tisch reservieren.

14

- Was muss er machen?
- Er muss einen Kugelschreiber kaufen.
- Wird er morgen einen Kugelschreiber kaufen?
- Nein. Er wird heute einen Kugelschreiber kaufen.

15

- Was müssen Sie machen?
- Ich muss wahrscheinlich das Museum besuchen.
- Werden Sie morgen das Museum besuchen?
- Nein. Ich werde das Museum am Abend besuchen.

16

- Was werden Sie machen?
- Ich werde eine Fahrkarte kaufen.
- Werden Sie heute eine Fahrkarte kaufen?
- Nein. Ich werde übermorgen eine Fahrkarte kaufen.

17

- Was müssen Sie morgen machen?
- Ich muss einen Prospekt lesen.
- Können Sie den Prospekt am Mittwoch lesen?
- Ja. Ich kann den Prospekt am Mittwoch lesen.

18

- Он собирается поехать в Англию?
- Да. Он собирается поехать в Англию.
- Он собирается поехать сегодня?
- Нет. Он собирается поехать завтра.

19

- Что она собирается делать?
- Она собирается заказать номер в гостинице.
- Она собирается заказать номер до обеда?
- Нет. Она хочет заказать номер после обеда.

20

- Что Вы собираетесь делать в этом году?
- Я планирую поехать на поезде в Германию.
- Вы хотите поехать в Германию в этом месяце?
- Я планирую поехать в Германию на этой неделе.

18

- Wird er nach England fahren?
- Ja. Er wird nach England fahren.
- Wird er heute fahren?
- Nein. Er wird morgen fahren.

19

- Was wird sie machen?
- Sie wird ein Hotelzimmer reservieren.
- Wird sie ein Hotelzimmer vor dem Mittag reservieren?
- Nein. Sie will am Nachmittag ein Zimmer reservieren.

20

- Was werden Sie dieses Jahr machen?
- Ich werde mit dem Zug nach Deutschland fahren.
- Wollen Sie in diesem Monat nach Deutschland fahren?
- Ich werde diese Woche nach Deutschland fahren.

Konjunktionen

Die Konjunktionen и (und), или (oder), но (aber) verbinden Worte oder unabhändige Sätze, die grammatisch gesehen gleichbedeutend sind. Diese Konjunktionen zeigen, dass die Teile, die sie verbinden, in Bedeutung und Struktur ähnlich sind:
Евгений разговаривает на русском и английском языках. Eugen spricht Russisch und Englisch.

Я родилась в Липецке, но учусь я в Симферополе. Ich bin in Lipezk geboren, aber ich studiere in Simferopol.
Он живёт в своём доме или квартире? Wohnt er im eigenen Haus oder in einer Wohnung?
Wenn Konjunktionen unabhängige Sätze verbinden, muss vor Konjunktion ein Komma gestellt werden:
Я люблю смотреть пьесы в театре, но я обычно смотрю фильмы дома. Ich mag Theaterstücke im Theater sehen, aber Filme schaue ich normalerweise zu Hause.
Wenn allerdings unabhängige Sätze kurz und gut ausgeglichen sind, wird ein Komma nicht wichtig:
На выходных мы с мужем ходим в кафе или в гости к друзьям. Mein Mann und ich gehen am Wochenende in ein Cafè oder besuchen unsere Freunde.
Wenn "und" das letzte Wort in der Liste ist, fehlt das Komma:
Я знаю таких художников как Пикассо, Ван Гог, Шишкин и Айвазовский. Ich kenne solche Maler wie Picasso, Van Gogh, Schischkin und Aiwasowskij.

Konjunktionen und Komma

Wenn eine Konjunktion unabhängige Sätze verbindet, wäre es richtig, ein Komma vor der Konjunktion zu stellen:
Я люблю смотреть пьесы в театре, но я обычно смотрю фильмы дома. Ich mag Theaterstücke im Theater sehen, aber Filme schaue ich normalerweise zu Hause.
Wenn allerdings unabhängige Sätze kurz und gut ausgeglichen sind, wird ein Komma nicht wichtig:
На выходных мы с мужем ходим в кафе или в гости к друзьям. Mein Mann und ich gehen am Wochenende in ein Cafè oder besuchen unsere Freunde.
Wenn "und" das letzte Wort in der Liste ist, fehlt das Komma:
Я знаю таких художников как Пикассо, Ван Гог, Шишкин и Айвазовский. Ich kenne solche Maler wie Picasso, Van Gogh, Schischkin und Aiwasowskij.

Мы можем пойти в ресторан

Wir können zu einem Restaurant gehen

Слова

1. встретить - treffen
2. друг - der (die) Freund(in)
3. звонить - anrufen
4. Италия - Italien
5. кофе - der Kaffee
6. мой - mein
7. мы - wir
8. откуда - von wo, woher
9. пешком - zu Fuß
10. письмо - der Brief
11. пить - trinken
12. пойти - gehen
13. суббота - der Samstag
14. тренажёрный зал - der Fitnessraum

1

- Сегодня суббота?
- Да. Сегодня суббота.
- Сколько времени?
- Сейчас два часа.
- Какая сегодня погода?
- Погода сегодня хорошая. Тепло и солнце.

2

- Вы собираетесь пить кофе в кафе?
- Да. Я хочу пить кофе в кафе.
- Вы хотите пить кофе в кафе утром?
- Да. Я хочу пить кофе в кафе утром.

3

- Что Вы планируете делать?
- Я собираюсь встретить этого англичанина. Он мой друг.
- Вы планируете встретить этого англичанина сейчас?
- Нет. Я планирую встретить этого англичанина после обеда.

4

- Он хочет посетить тренажёрный зал?
- Да. Он хочет посетить тренажёрный зал.
- Он планирует посетить тренажёрный зал после обеда?

1

- Ist heute Samstag?
- Ja. Heute ist Samstag.
- Wie spät ist es?
- Es ist zwei Uhr.
- Wie ist das Wetter heute?
- Das Wetter ist gut heute. Es ist warm und sonnig.

2

- Werden Sie in einem Café Kaffee trinken?
- Ja. Ich möchte in einem Café Kaffee trinken.
- Wollen Sie morgens in einem Café Kaffee trinken?
- Ja. Ich möchte morgens in einem Café Kaffee trinken.

3

- Was werden Sie machen?
- Ich werde diesen Engländer treffen. Er ist mein Freund.
- Werden Sie diesen Engländer jetzt treffen?
- Nein. Ich werde diesen Engländer nachmittags treffen.

4

- Möchte er den Fitnessraum besuchen?
- Ja. Er möchte den Fitnessraum besuchen.
- Plant er, den Fitnessraum am Nachmittag zu besuchen?

- Нет. Он планирует посетить тренажёрный зал вечером.

5

- Пойдём, купим карту!
- Да. Я хочу купить карту.
- Мы пойдём купить карту сейчас?
- Нет. Мы пойдём купить карту после обеда.

6

- Что эти туристы должны делать?
- Эти туристы должны купить билеты.
- Где они могут купить билеты?
- Эти туристы могут купить билеты в кассе.

7

- Вы хотите купить сувениры?
- Да. Я хочу купить сувениры.
- Вы хотите купить сувениры сейчас?
- Да. Я хочу купить сувениры сейчас. Где я могу купить сувениры?
- Вы можете купить сувениры в магазине возле площади.

8

- У Вас есть телефон?
- Да. У меня есть телефон.
- Можно взять Ваш телефон? Мне нужно позвонить другу.
- Да. Возьмите, пожалуйста. Вы должны встретить друга?
- Да. Я должен встретить друга через час. Он из Италии.

- Nein. Er plant, den Fitnessraum am Abend zu besuchen.

5

- Lasst uns gehen und eine Landkarte kaufen!
- Ja. Ich möchte eine Karte kaufen.
- Werden wir jetzt gehen und eine Karte kaufen?
- Nein. Wir werden am Nachmittag eine Karte kaufen gehen.

6

- Was müssen diese Touristen machen?
- Diese Touristen müssen Eintrittskarten kaufen.
- Wo können sie Karten kaufen?
- Diese Touristen können Karten an der Theaterkasse kaufen.

7

- Möchten Sie Souvenirs kaufen?
- Ja. Ich möchte Souvenirs kaufen.
- Möchten Sie jetzt Souvenirs kaufen?
- Ja. Ich möchte jetzt Souvenirs kaufen. Wo kann ich Souvenirs kaufen?
- Sie können Souvenirs in dem Geschäft am Platz kaufen.

8

- Haben Sie ein Telefon?
- Ja. Ich habe ein Telefon.
- Kann ich Ihr Telefon nehmen? Ich muss einen Freund anrufen.
- Ja. Bitte nehmen Sie es. Müssen Sie den Freund treffen?
- Ja. Ich muss den Freund in einer Stunde treffen. Er ist aus Italien.

9

- Что она собирается делать?
- Она хочет купить билет.
- Она хочет купить билет после обеда?
- Нет. Она хочет купить билет сейчас.
- Она должна заплатить за билет сейчас?
- Да. Она должна заплатить за билет сейчас.

10

- Вы хотите есть?
- Да. Я хочу есть.
- Мы можем пойти в ресторан?
- Да. Мы можем пойти в ресторан.

11

- Вы можете помочь мне найти музей?
- Да. Вы должны найти музей до обеда?
- Да. Мне нужно найти музей до обеда. Я должен встретить там друга.
- Музей находится на площади.

12

- Откуда этот турист?
- Этот турист из Англии.
- Этот турист англичанин?
- Да. Этот турист англичанин.
- Вы должны встретить этого туриста?
- Я должен встретить этого туриста после обеда.

9

- Was wird sie machen?
- Sie wird ein Ticket kaufen.
- Wird sie am Nachmittag ein Ticket kaufen?
- Nein. Sie wird jetzt ein Ticket kaufen.
- Muss sie jetzt für das Ticket bezahlen?
- Ja. Sie muss jetzt für das Ticket bezahlen.

10

- Möchten Sie essen?
- Ja. Ich möchte essen.
- Können wir zu einem Restaurant gehen?
- Ja. Wir können zu einem Restaurant gehen.

11

- Können Sie mir helfen, das Museum zu finden?
- Ja. Müssen Sie das Museum vor dem Mittag finden?
- Ja. Ich muss das Museum vor dem Mittag finden. Ich muss dort einen Freund treffen.
- Das Museum liegt am Platz.

12

- Woher kommt dieser Tourist?
- Dieser Tourist kommt aus England.
- Ist dieser Tourist ein Engländer?
- Ja. Dieser Tourist ist ein Engländer.
- Müssen Sie diesen Touristen treffen?
- Ich muss diesen Touristen am Nachmittag treffen.

13

- Она хочет пойти пешком в магазин?
- Да. Она хочет пойти пешком в магазин.
- Она собирается пойти туда до обеда?
- Да. Она собирается пойти туда до обеда.

14

- Что он хочет делать?
- Он хочет посетить музей.
- Он хочет посетить музей завтра?
- Да. Он планирует посетить музей завтра.

15

- Вы собираетесь позвонить этому немцу сегодня?
- Да. Я собираюсь позвонить этому немцу сегодня.
- Этот немец турист?
- Да. Этот немец турист.
- Вы должны встретить его завтра?
- Нет. Я должен встретить его послезавтра.

16

- Могу я помочь Вам найти парк?
- Да. Помогите, пожалуйста.
- Вы хотите идти в парк сейчас?
- Я хочу идти в парк после обеда.

17

- Что эти туристы должны делать?
- Эти туристы должны купить карту.

13

- Möchte sie zu dem Geschäft zu Fuß gehen?
- Ja. Sie möchte zu dem Geschäft zu Fuß gehen.
- Wird sie vor dem Mittag dorthin gehen?
- Ja. Sie wird vor dem Mittag dorthin gehen.

14

- Was möchte er machen?
- Er möchte das Museum besuchen.
- Möchte er das Museum morgen besuchen?
- Ja. Er wird das Museum morgen besuchen.

15

- Werden Sie diesen Deutschen heute anrufen?
- Ja. Ich werde diesen Deutschen heute anrufen.
- Ist dieser Deutsche ein Tourist?
- Ja. Dieser Deutsche ist ein Tourist.
- Müssen Sie ihn morgen treffen?
- Nein. Ich muss ihn übermorgen treffen.

16

- Kann ich Ihnen helfen, den Park zu finden?
- Ja. Bitte helfen Sie mir.
- Wollen Sie jetzt in den Park gehen?
- Ich möchte am Nachmittag in den Park gehen.

17

- Was müssen diese Touristen machen?
- Diese Touristen müssen eine Landkarte kaufen.

- Где они могут купить карту?
- Они могут купить карту в магазине возле гостиницы.

18

- Вы собираетесь встретить этого немца сегодня?
- Да. Я собираюсь встретить этого немца сегодня.
- Мы можем пойти в театр вместе?
- Да. Я могу встретить этого немца завтра (а сегодня мы пойдём вместе в театр).

19

- Что Вы собираетесь делать?
- Я должен написать письмо другу.
- Откуда Ваш друг?
- Мой друг из Италии. Он итальянец.
- Вам нужно написать письмо до обеда?
- Да. Мне нужно написать его до обеда.

20

- Вы пьёте сок?
- Да. Я пью сок.
- Хотите пить сок в ресторане?
- Да, я хочу пить сок в ресторане.

- Wo können sie eine Karte kaufen?
- Sie können eine Karte in dem Geschäft in der Nähe des Hotels kaufen.

18

- Werden Sie diesen Deutschen heute treffen?
- Ja. Ich werde diesen Deutschen heute treffen.
- Können wir zusammen ins Theater gehen?
- Ja. Ich kann diesen Deutschen morgen treffen (und heute gehen wir zusammen ins Theater).

19

- Was werden Sie machen?
- Ich muss einem Freund einen Brief schreiben.
- Woher kommt Ihr Freund?
- Mein Freund kommt aus Italien. Er ist Italiener.
- Müssen Sie den Brief vor dem Mittag schreiben?
- Ja. Ich muss ihn vor dem Mittag schreiben.

20

- Trinken Sie Saft?
- Ja. Ich trinke Saft.
- Möchten Sie im Restaurant Saft trinken?
- Ja. Ich möchte im Restaurant Saft trinken.

Das Verb Иметь

Das Verb иметь (haben) bezeichnet manchmal einen Besitz. Die folgende Konstruktion wird öfter verwendet:

У меня (есть) книга. - Ich habe ein Buch.

У нас (есть) книга. - Wir haben ein Buch.

У тебя (есть) книга. - Du hast ein Buch. (Sing.)

У Вас/вас (есть) книга. - Sie haben ein Buch. (Plur.)

У него (есть) книга. - Er hat ein Buch/Es hat ein Buch. (Mask. und Neut.)

У неё (есть) книга. - Sie hat ein Buch.

У них (есть) книга. - Sie haben ein Buch.

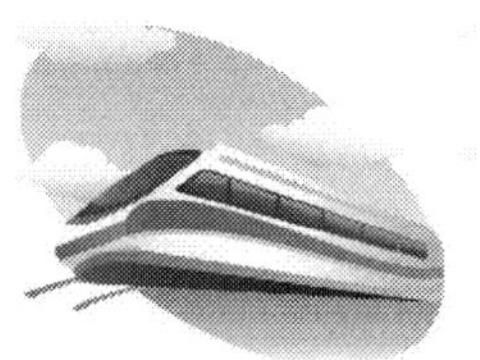

Есть ли в этом автобусе микроволновка?

Gibt es eine Mikrowelle in diesem Bus?

Слова

1. бассейн - das Schwimmbad
2. бесплатный - kostenlos
3. вагон - der Eisenbahnwagen
4. водитель - der Fahrer
5. воскресенье - der Sonntag
6. второй - zweite
7. дверь - die Tür
8. душ - die Dusche
9. журнал - die Zeitschrift
10. интернет - das Internet
11. кондиционер - die Klimaanlage
12. конец - das Ende
13. курить - rauchen
14. ли - ob

15. микроволновка - die Mikrowelle
16. новости - die Nachrichten
17. парикмахерская - der Friseur
18. прачечная - die Wäscherei
19. следующий - nächste
20. телевизор - das Fernseher

21. три - drei
22. туалет - die Toilette, das Badezimmer
23. хвост - das Ende, der Schwanz
24. холодильник - der Kühlschrank
25. этаж - die Etage

1

- Сегодня воскресенье?
- Да. Сегодня воскресенье.
- Сколько времени?
- Сейчас три часа дня.
- Какая сегодня погода?
- Погода сегодня плохая.

2

- Я хочу поесть. Есть ли в этом автобусе микроволновка?
- Да. В этом автобусе есть микроволновка. Она находится возле водителя.
- Есть ли в этом автобусе туалет?
- Да. В этом автобусе есть туалет. Он находится возле двери.

3

- Я хочу пить. Есть ли на этом корабле кафе?
- Нет. На этом корабле есть бар. Вы можете попить там.

1

- Ist heute Sonntag?
- Ja. Heute ist Sonntag.
- Wie spät ist es?
- Es ist drei Uhr nachmittags.
- Wie ist das Wetter heute?
- Das Wetter ist heute schlecht.

2

- Ich möchte essen. Gibt es eine Mikrowelle in diesem Bus?
- Ja. Dieser Bus hat eine Mikrowelle. Sie befindet sich neben dem Fahrer.
- Gibt es eine Toilette in diesem Bus?
- Ja. Es gibt eine Toilette in diesem Bus. Sie befindet sich neben der Tür.

3

- Ich bin durstig. Gibt es auf diesem Schiff ein Café?
- Nein. Auf diesem Schiff gibt es eine Bar. Sie können dort etwas trinken.

4

- Есть ли в поезде ресторан?
- Да. В поезде есть ресторан. Он находится в следующем вагоне.
- Есть ли в этом поезде интернет?
- Да. В этом поезде есть интернет.

5

- Есть ли в вагоне кондиционер?
- Нет. В вагоне нет кондиционера.
- Есть ли в вагоне телевизор?
- Нет. В вагоне нет телевизора.

6

- Есть ли в этом самолёте журналы? Я хочу почитать.
- Да. В этом самолёте есть журналы.
- Есть ли в самолёте туалет?
- Да. В самолёте есть туалет. Он находится в хвосте самолёта.

7

- Есть ли в этой гостинице ресторан?
- Нет. В этой гостинице нет ресторана.
- Где я могу поесть?
- Ресторан находится на следующей улице.

8

- Есть ли в этой гостинице бассейн?
- Да. В этой гостинице есть бассейн. Он большой.
- Есть ли в этой гостинице тренажёрный зал?

4

- Gibt es in diesem Zug ein Restaurant?
- Ja. In diesem Zug gibt es ein Restaurant. Es ist im nächsten Wagen.
- Gibt es in diesem Zug Internet?
- Ja. In diesem Zug gibt es Internet.

5

- Gibt es in diesem Eisenbahnwagen eine Klimaanlage?
- Nein. Es gibt keine Klimaanlage in diesem Wagen.
- Gibt es TV in diesem Wagen?
- Nein. In diesem Wagen gibt es kein TV.

6

- Gibt es Zeitschriften im Flugzeug? Ich möchte lesen.
- Ja. In diesem Flugzeug gibt es Zeitschriften.
- Gibt es eine Toilette in dem Flugzeug?
- Ja. Es gibt eine Toilette im Flugzeug. Sie befindet sich im hinteren Teil des Flugzeugs.

7

- Gibt es in diesem Hotel ein Restaurant?
- Nein. In diesem Hotel gibt es kein Restaurant.
- Wo kann ich essen?
- Es gibt ein Restaurant in der nächsten Straße.

8

- Gibt es in diesem Hotel ein Schwimmbad?
- Ja. In diesem Hotel gibt es ein Schwimmbad. Es ist groß.
- Gibt es in diesem Hotel einen Fitnessraum?

- Да. В этой гостинице есть тренажёрный зал.

9

- В этом номере есть холодильник?
- Да. В этом номере есть холодильник.
- Есть ли в этом номере телевизор?
- Да в этом номере есть телевизор.

10

- Есть ли в номере душ?
- Да. В номере есть душ.
- Есть ли в номере фен?
- Да. В номере есть фен.

11

- У Вас есть в номере телефон?
- Да. У меня есть в номере телефон.
- Я могу позвонить своему другу?
- Да. Вы можете позвонить.

12

- Есть ли на этом этаже прачечная?
- Нет. На этом этаже нет прачечной.
- Где я могу найти прачечную?
- Прачечная находится на втором этаже.

13

- У меня болит голова. Где я могу купить лекарства?
- Вы можете купить лекарства в аптеке.
- Есть ли возле гостиницы аптека?
- Да. Возле гостиницы есть аптека.

- Ja. In diesem Hotel gibt es einen Fitnessraum.

9

- Gibt es in diesem Hotelzimmer einen Kühlschrank?
- Ja. In diesem Hotelzimmer gibt es einen Kühlschrank.
- Gibt es in diesem Hotelzimmer ein TV?
- Ja. Es gibt ein TV in diesem Hotelzimmer.

10

- Gibt es in dem Hotelzimmer eine Dusche?
- Ja. Es gibt eine Dusche in dem Hotelzimmer.
- Gibt es einen Fön in dem Hotelzimmer?
- Ja. Es gibt einen Fön in dem Hotelzimmer.

11

- Gibt es in dem Hotelzimmer ein Telefon?
- Ja. Es gibt ein Telefon in dem Hotelzimmer.
- Kann ich meinen Freund anrufen?
- Ja. Sie können ihn anrufen.

12

- Gibt es auf dieser Etage eine Wäscherei?
- Nein. Auf dieser Etage gibt es keine Wäscherei.
- Wo kann ich die Wäscherei finden?
- Die Wäscherei befindet sich in der zweiten Etage.

13

- Ich habe Kopfschmerzen. Wo kann ich Medikamente kaufen?
- Sie können Medikamente in der Apotheke kaufen.
- Gibt es eine Apotheke in der Nähe des Hotels?
- Ja. Es gibt eine Apotheke in der Nähe des Hotels.

14

- Есть ли возле гостиницы парикмахерская?
- Нет. Возле гостиницы нет парикмахерской.
- Где я могу найти парикмахерскую?
- Она находится в конце улицы.

15

- Мне нужно купить сувениры. Есть ли магазин возле гостиницы?
- Нет. Возле гостиницы нет магазина.
- Где я могу купить сувениры?
- Вы можете купить сувениры в магазине на площади.

16

- Что она собирается делать?
- Она собирается заказать номер в гостинице.
- Есть ли в номере кондиционер?
- Да. В номере есть кондиционер.

17

- Есть ли в этой гостинице бар?
- Да. В этой гостинице есть бар.
- Вы можете помочь мне найти её?
- Да. Я могу Вам помочь.
- Спасибо.

18

- Есть ли в этой гостинице интернет? Я хочу почитать новости.
- Да. В этой гостинице есть интернет.

14

- Gibt es einen Friseur in der Nähe des Hotels?
- Nein. Es gibt keinen Friseur in der Nähe des Hotels.
- Wo kann ich eine Friseur finden?
- Er ist am Ende der Straße.

15

- Ich muss einige Souvenirs kaufen. Gibt es in der Nähe des Hotels ein Geschäft?
- Nein. Es gibt kein Geschäft in der Nähe des Hotels.
- Wo kann ich Souvenirs kaufen?
- Sie können Souvenirs in dem Geschäft am Platz kaufen.

16

- Was wird sie machen?
- Sie wird ein Hotelzimmer buchen.
- Gibt es im Zimmer eine Klimaanlage?
- Ja. Es gibt eine Klimaanlage in dem Zimmer.

17

- Gibt es eine Bar in diesem Hotel?
- Ja. Es gibt eine Bar in diesem Hotel.
- Können Sie mir helfen, sie zu finden?
- Ja. Ich kann Ihnen helfen.
- Danke.

18

- Gibt es in diesem Hotel Internet? Ich möchte die Nachrichten lesen.
- Ja. Es gibt in diesem Hotel Internet.

- Интернет бесплатный?
- Нет. За интернет нужно платить.

19

- Он хочет посетить тренажёрный зал?
- Да. Он хочет посетить тренажёрный зал.
- Есть ли возле гостиницы тренажёрный зал?
- Да. Возле гостиницы есть тренажёрный зал.

- Ist das Internet kostenlos?
- Nein. Sie müssen für das Internet zahlen.

19

- Möchte er den Fitnessraum besuchen?
- Ja. Er möchte den Fitnessraum besuchen.
- Gibt es Fitnessräume in der Nähe des Hotels?
- Ja. Es gibt einen Fitnessraum in der Nähe des Hotels.

Abwesenheit von „es gibt“

Im Russischen benutzt man normalerweise nicht die Wörter есть, имеется (es gibt). Aber das Wort есть wird bei Fragen benutzt und bei Betonung auf Anwesenheit oder Existenz eines Subjekts.

На столе яблоко. Ein Apfel ist auf dem Tisch..

В холодильнике есть овощи? Gibt es Gemüse im Kühlschrank?

-В Липецке есть интересные памятники? Gibt es interessante Denkmäler in Lipezk?

-Да, есть несколько. Ja, es gibt einige.

Abwesenheit wird durch нет gezeigt:

В Липецке нет порта. Es gibt keinen Hafen in Lipezk.

В холодильнике нет супа. Es gibt keine Suppe im Kühlschrank.

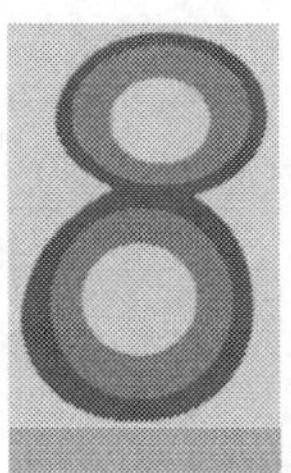

Чья это сумка?

Wessen Tasche ist das?

Слова

1. ваш - euer, Ihr
2. место - der Platz
3. наш - unser
4. стол - der Tisch
5. стул - der Stuhl
6. твой – dein
7. чей - wessen

1	1
- Чья это сумка?	- Wessen Tasche ist das?
- Это сумка Сэма.	- Das ist Sams Tasche.
- Где сумка Кати?	- Wo ist Kates Tasche?
- Её сумка на стуле.	- Ihre Tasche ist auf dem Stuhl.
2	2
- Это твой фотоаппарат?	- Ist das Ihre Kamera?
- Нет. Это не мой фотоаппарат.	- Nein. Das ist nicht meine Kamera.
- Чей это фотоаппарат?	- Wessen Kamera ist das?
- Это фотоаппарат Роберта.	- Das ist Roberts Kamera.
3	3
- У Вас есть карта?	- Haben Sie eine Landkarte?
- Да. У меня есть карта.	- Ja. Ich habe eine Karte.
- Чья это карта?	- Wessen Karte ist das?
- Это карта гида.	- Das ist die Karte des Fremdenführers.
4	4
- Чей это телефон?	- Wessen Telefon ist das?
- Это телефон Линды.	- Das ist Lindas Telefon.
- Где твой телефон?	- Wo ist Ihr Telefon?
- Мой телефон в моей комнате.	- Mein Telefon ist in meinem Zimmer.
5	5
- Чья это ручка?	- Wessen Kugelschreiber ist das?
- Это ручка того туриста.	- Das ist der Kugelschreiber des Touristen.
- Где твоя ручка?	- Wo ist Ihr Kugelschreiber?
- Моя ручка у Сэма.	- Sam hat meinen Kugelschreiber.
6	6
- Это Ваши журналы?	- Sind das Ihre Zeitschriften?
- Да. Это мои журналы.	- Ja. Das sind meine Zeitschriften.

- Где журналы гида?

- Журналы гида в сумке.

7

- Это Ваши сувениры?

- Нет. Это не мои сувениры.

- Чьи это сувениры?

- Это сувениры Роберта.

8

- Это Ваши лекарства?

- Нет. Это лекарства Джона.

- Где Ваши лекарства?

- Мои лекарства на столе.

9

- Чей это кофе?

- Это кофе Кати.

- Где Ваш кофе?

- Мой кофе в номере.

10

- Это Ваши билеты?

- Нет. Это билеты Линды.

- Где Ваши билеты?

- Мои билеты у гида. Он в автобусе.

11

- Чьи это чемоданы?

- Это чемоданы Мэри.

- Где чемоданы Роберта?

- Его чемоданы возле стула.

12

- Это книга Кати?

- Нет. Это моя книга.

- Где книга Кати?

- Wo sind die Zeitschriften des Fremdenführers?

- Die Zeitschriften des Fremdenführers sind in der Tasche.

7

- Sind das Ihre Souvenirs?

- Nein. Das sind nicht meine Souvenirs.

- Wessen Souvenirs sind das?

- Das sind Roberts Souvenirs.

8

- Sind das Ihre Medikamente?

- Nein. Dies sind Johns Medikamente.

- Wo sind Ihre Medikamente?

- Meine Medikamente sind auf dem Tisch.

9

- Wessen Kaffee ist das?

- Das ist Kates Kaffee.

- Wo ist Ihr Kaffee?

- Mein Kaffee ist im Zimmer.

10

- Sind das Ihre Tickets?

- Nein. Das sind Lindas Tickets.

- Wo sind Ihre Tickets?

- Der Fremdenführer hat meine Tickets. Er ist im Bus.

11

- Wessen Koffer sind das?

- Das sind Marys Koffer.

- Wo sind Roberts Koffer?

- Seine Koffer sind neben dem Stuhl.

12

- Ist das Kates Buch?

- Nein. Das ist mein Buch.

- Wo ist Kates Buch?

- Её книга на столе.

13

- Где Ваши билеты?
- Наши билеты в сумке.
- Где билеты англичан?
- Их билеты у гида.

14

- Чья это сим-карта?
- Это сим-карта Джона.
- Где Ваша сим-карта?
- Моя сим-карта в телефоне.

15

- Чьи это сумки?
- Это сумки Линды.
- Где наши сумки?
- Ваши сумки возле стола.

16

- Это Ваш телефон?
- Да. Это мой телефон.
- Где телефон гида?
- Телефон гида в сумке.

17

- Чей это номер?
- Это номер Мэри.
- Где номер Роберта?
- Номер Роберта на втором этаже.

18

- Это место Джона?
- Нет. Это место Кати.
- Где место Джона?
- Место Джона следующее.

- Ihr Buch ist auf dem Tisch.

13

- Wo sind Ihre Tickets?
- Unsere Tickets sind in der Tasche.
- Wo sind die Tickets der Engländer?
- Der Fremdenführer hat ihre Tickets.

14

- Wessen SIM-Karte ist das?
- Das ist Johns SIM-Karte.
- Wo ist Ihre SIM-Karte?
- Meine SIM-Karte ist im Telefon.

15

- Wessen Tasche ist das?
- Das ist Lindas Tasche.
- Wo sind unsere Taschen?
- Eure Taschen sind neben dem Tisch.

16

- Ist das Ihr Telefon?
- Ja. Das ist mein Telefon.
- Wo ist das Telefon des Fremdenführers?
- Das Telefon des Fremdenführers ist in der Tasche.

17

- Wessen Hotelzimmer ist das?
- Das ist Marys Zimmer.
- Wo ist Roberts Zimmer?
- Roberts Zimmer ist in der zweiten Etage.

18

- Ist das Johns Platz?
- Nein. Das ist Kates Platz.
- Wo ist Johns Platz?
- Johns Platz ist daneben.

19

- Это Ваши брошюры?
- Да. Это мои брошюры.
- Где брошюры гида?
- Брошюры гида в сумке.

20

- Чья это карта?
- Это карта Кати. Она купила её в магазине.
- Где карта Мэри?
- Её карта у гида.

19

- Sind das Ihre Prospekte?
- Ja. Das sind meine Prospekte.
- Wo sind die Prospekte des Fremdenführers?
- Die Prospekte des Fremdenführers sind in der Tasche.

20

- Wessen Landkarte ist das?
- Das ist Kates Karte. Sie kaufte sie in einem Geschäft.
- Wo ist Marys Karte?
- Der Fremdenführer hat ihre Karte.

Possessivpronomen

Mask. / Fem. / Neut. / Plur.

wessen? / чей? / чья? / чьё? / чьи?

mein, meine, mein, meine/ мой / моя / моё / мои

unser, unsere, unser, unsere/ наш / наша / наше / наши

dein, deine, dein, deine / твой / твоя / твоё / твои

ihr, ihre, ihr, ihre, euer, eure, euer, eure (Plur / ваш / ваша / ваше / ваши

sein, seine, sein, seine/ его / его / его / его

ihr, ihre, ihr, ihre/ её / её / её / её

ihr, ihre, ihr, ihre/ их / их / их / их

Это металлическая ручка?

Ist das ein Kugelschreiber aus Metall?

Слова

1. ванна - die Badewanne
2. гостиничный - hoteleigene
3. деревянный - hölzern, aus Ho!z
4. диск - die CD
5. здесь - hier
6. или - oder
7. клавиатура - die Tastatur
8. компьютерный - in Bezug auf Computer
9. кровать - das Bett
10. металлический - metallen
11. молочный бар - die Milchbar
12. монитор - der Monitor
13. мышка - die Maus

14. окно - das Fenster
15. пластиковый - der Kunststoff
16. полка - das Regal
17. самолёт - das Flugzeug
18. сауна - die Sauna
19. третий - dritter
20. флэшка - der Speicherstick
21. часы - die Uhr

1

- Чьи это автобусные билеты?
- Это автобусные билеты Роберта.
- Где Ваши автобусные билеты?
- Мои автобусные билеты у гида.

2

- Где Ваш номер?
- Мой номер на втором этаже.
- Где номер Кати?
- Её номер на третьем этаже.

3

- Есть ли здесь молочный бар?
- Да. Здесь есть молочный бар.
- Есть ли здесь бассейн?
- Нет. Здесь нет бассейна.

4

- Куда она собирается идти?
- Она собирается пойти в гостиничный тренажёрный зал.

5

- Это ручка пластиковая?
- Нет. Это не пластиковая ручка.
- Это металлическая ручка?
- Да. Это металлическая ручка.

1

- Wessen Busfahrkarten sind das?
- Das sind Roberts Busfahrkarten.
- Wo sind Ihre Fahrkarten?
- Der Fremdenführer hat meine Fahrkarten.

2

- Wo ist Ihr Hotelzimmer?
- Mein Hotelzimmer ist in der zweiten Etage.
- Wo ist Kates Hotelzimmer?
- Ihr Hotelzimmer ist in der dritten Etage.

3

- Gibt es hier eine Milchbar?
- Ja. Hier gibt es eine Milchbar.
- Gibt es hier ein Schwimmbad?
- Nein. Hier gibt es kein Schwimmbad.

4

- Wohin wird sie gehen?
- Sie wird zum Fitnessraum des Hotels gehen.

5

- Ist das ein Kugelschreiber aus Kunststoff?
- Nein. Das ist kein Kunststoffkugelschreiber.
- Ist das ein Kugelschreiber aus Metall?
- Ja. Das ist ein metallener Kugelschreiber.

6

- Это пластиковое или деревянное окно?
- Это пластиковое окно.
- В номере деревянная дверь?
- Да. В номере деревянная дверь.

7

- В номере есть компьютерный стол?
- Да. В номере есть компьютерный стол.

8

- Эта деревянная кровать удобная?
- Эта деревянная кровать новая и удобная.
- Эта книжная полка тоже новая?
- Эта книжная полка не новая.

9

- Чьи это часы?
- Это часы Мэри.
- Они пластиковые или металлические?
- Это пластиковые часы.

10

- Что это за монитор?
- Это компьютерный монитор.
- Что это за клавиатура?
- Это компьютерная клавиатура.

11

- Это компьютерная флэшка?
- Да. Это компьютерная флэшка.
- Чья это флэшка?
- Это флэшка Джона.

6

- Ist das Fenster aus Kunststoff oder aus Holz?
- Das ist ein Kunststofffenster.
- Ist die Tür im Zimmer aus Holz?
- Ja. Die Tür im Zimmer ist aus Holz.

7

- Gibt es einen Computertisch im Zimmer?
- Ja. Es gibt einen Computertisch im Zimmer.

8

- Ist dieses Holzbett bequem?
- Dieses Holzbett ist neu und bequem.
- Ist dieses Bücherregal auch neu?
- Dieses Bücherregal ist nicht neu.

9

- Wessen Uhr ist das?
- Das ist Marys Uhr.
- Ist sie aus Kunststoff oder Metall?
- Diese Uhr ist aus Kunststoff.

10

- Was für ein Monitor ist das?
- Das ist ein Computermonitor.
- Was für eine Tastatur ist das?
- Das ist eine Computertastatur.

11

- Ist das ein Computer-Speicherstick?
- Ja. Das ist ein Computer-Speicherstick.
- Wessen Speicherstick ist das?
- Das ist Johns Speicherstick.

12

- У вас есть компьютерная мышка?
- Нет. У меня нет компьютерной мышки.
- У Кати есть компьютерная мышка?
- Да. У Кати есть компьютерная мышка.

13

- У вас есть компьютерный диск?
- Нет. У меня нет компьютерного диска.
- У Роберта есть компьютерный диск?
- Да. У Роберта есть компьютерный диск.

14

- Куда он собирается идти?
- Он собирается пойти в гостиничную сауну.

15

- Чьи это билеты на поезд?
- Это билеты на поезд Мэри.
- Где Ваши билеты на поезд?
- Мои билеты на поезд в сумке.

16

- Где можно купить билеты на самолёт?
- Билеты на самолёт можно купить в кассе.
- У Вас есть билеты на самолёт?
- Да. У меня есть билеты на самолёт.

17

- В номере деревянный стол?

12

- Haben Sie eine Computermaus?
- Nein. Ich habe keine (Computer)maus.
- Hat Kate eine (Computer)maus?
- Ja. Kate hat eine (Computer)maus.

13

- Haben Sie eine Computer-CD?
- Nein. Ich habe keine Computer-CD.
- Hat Robert eine Computer-CD?
- Ja. Robert hat eine Computer-CD.

14

- Wohin wird er gehen?
- Er wird in die hoteleigene Sauna gehen.

15

- Wessen Eisenbahnfahrkarten sind das?
- Das sind Marys Eisenbahnfahrkarten.
- Wo sind Ihre Eisenbahnfahrkarten?
- Meine Eisenbahnfahrkarten sind in der Tasche.

16

- Wo kann man Flugtickets kaufen?
- Flugtickets können Sie im Reisebüro kaufen.
- Haben Sie Flugtickets?
- Ja. Ich habe Flugtickets.

17

- Gibt es im Hotelzimmer einen Tisch aus Holz?

- Да. В номере деревянный стол.

18

- Чьи это билеты на корабль?
- Это билеты на корабль Джона.
- Где Ваши билеты на корабль?
- Мои билеты на корабль у гида.

19

- Есть ли книжный магазин возле гостиницы?
- Возле гостиницы есть два книжных магазина. Какая Вам нужна книга?
- Мне нужен хороший туристический путеводитель об этом городе
- Есть много хороших туристических путеводителей в обоих магазинах.

- Ja. Im Hotelzimmer gibt es einen Tisch aus Holz.

18

- Wessen Schiffsfahrkarten sind das?
- Das sind Johns Schiffsfahrkarten.
- Wo sind Ihre Schiffsfahrkarten?
- Der Fremdenführer hat meine Schiffsfahrkarten.

19

- Gibt es in der Nähe des Hotels eine Buchhandlung?
- Es gibt zwei Buchhandlungen in der Nähe des Hotels. Was für ein Buch brauchen Sie?
- Ich brauche einen guten Reiseführer über diese Stadt.
- In beiden Buchhandlungen gibt es viele Reiseführer.

Frageworte

Как? - Wie?
Где? - Wo?
Куда? - Wohin?
Откуда - Woher?
Какой? - Welcher? (M)
Какая? - Welche? (F)
Какое? - Welches? (N)
Какие? - Welche? (Pl)
Сколько? - Wieviel?
Когда? - Wann?
Кто? - Wer?
Что? - Was?
Почему? - Warum?
Зачем? - Wozu?

10

Кто этот немец по профессии?

Was ist dieser Deutscher von Beruf?

Слова

1. английский - englische
2. везти - fahren
3. водить - fahren
4. восемь - acht
5. готовить - vorbereiten, kochen
6. грек - der Grieche
7. доктор - der Arzt
8. думать - denken
9. зуб - der Zahn
10. игра - das Spiel
11. играть - spielen
12. как - wie
13. компания - die Gesellschaft

14. конечная остановка - die Endstation
15. лечить - behandeln
16. любовь - die Liebe
17. международный - international
18. обслуживать - bedienen
19. официант - der Kellner
20. певица - die Sängerin
21. пение - der Gesang
22. петь - singen
23. писатель - der Autor, der Schriftsteller
24. пицца - die Pizza
25. по - von
26. повар - der Koch
27. покупатель - der Käufer
28. покупать - kaufen
29. преподаватель - der Lehrer
30. преподавать - lehren
31. приходить - kommen
32. пробовать - versuchen
33. продавать - verkaufen
34. продавец - der Verkäufer
35. продукты - die Nahrung, das Lebensmittel
36. профессия - der Beruf
37. ремонтировать - reparieren
38. ремонтник - der Handwerker
39. руководитель - der Manager
40. руководить - verwalten
41. русский - russische
42. семь - sieben
43. слышать - hören
44. спагетти - die Spaghetti
45. спортсмен - der Sportler
46. спросить - fragen
47. стадион - das Stadion
48. строитель - der Bauarbeiter
49. строить - bauen
50. урок - die Lektion
51. футбол - das Fußball(spiel)
52. эта - diese
53. японец - der Japaner

1

- Кто этот немец по профессии?
- Он писатель.
- Что он пишет?
- Он пишет книги о любви.

1

- Was ist dieser Deutscher von Beruf?
- Er ist Schriftsteller.
- Was schreibt er?
- Er schreibt Bücher über Liebe.

- Где можно купить его книгу?
- Его книгу можно купить в магазине на площади.

2

- Кто этот англичанин по профессии?
- Он преподаватель.
- Что он преподаёт?
- Он преподаёт английский.
- Он может дать мне уроки английского?
- Думаю да. Вот его телефон.

3

- Кто этот испанец по профессии?
- Он строитель.
- Что он строит?
- Он строит аэропорт.
- Я могу посмотреть этот аэропорт?
- Да. Туда можно доехать на трамвае номер пять. Аэропорт на конечной остановке.

4

- Кто этот русский по профессии?
- Он ремонтник.
- Что он ремонтирует?
- Он ремонтирует компьютеры.
- Он может отремонтировать мой компьютер?
- Наверное. Вот его телефон. Позвоните ему.
- Спасибо.

5

- Кто эта немка по профессии?

- Wo kann man sein Buch kaufen?
- Sie können sein Buch im Geschäft am Platz kaufen.

2

- Was ist dieser Engländer von Beruf?
- Er ist Lehrer.
- Was unterrichtet er?
- Er unterrichtet Englisch.
- Kann er mir in Englisch Unterricht geben?
- Wahrscheinlich ja. Hier ist seine Telefonnummer.

3

- Was ist dieser Spanier von Beruf?
- Er ist Bauarbeiter.
- Was baut er?
- Er baut einen Flughafen.
- Kann ich diesen Flughafen sehen?
- Ja. Sie können mit der Straßenbahn Nummer fünf dorthin fahren. Der Flughafen ist an der Endstation.

4

- Was ist dieser Russe von Beruf?
- Er ist Mechaniker.
- Was repariert er?
- Er repariert Computer.
- Kann er meinen Computer reparieren?
- Wahrscheinlich. Hier ist seine Telefonnummer. Rufen Sie ihn an.
- Danke.

5

- Was ist diese Deutsche von Beruf?

- Она руководитель.
- Чем она руководит?
- Она руководит международной компанией.

6

- Кто этот грек по профессии?
- Он водитель.
- Что он водит?
- Он водит автобус.
- Он может отвезти меня в аэропорт?
- Нет. Трамвай номер пять идёт до аэропорта.

7

- Кто эта француженка по профессии?
- Она певица.
- Где она поёт?
- Она поёт в ресторане возле гостиницы.
- Я могу услышать её пение?
- Да. Приходите в ресторан в восемь часов вечера.

8

- Кто этот француз по профессии?
- Он спортсмен.
- Во что он играет?
- Он играет в футбол.
- Я могу посмотреть на его игру?
- Да. Приходите на стадион в семь часов вечера.

9

- Кто этот итальянец по профессии?
- Он продавец.

- Sie ist Managerin.
- Was verwaltet sie?
- Sie verwaltet eine internationale Gesellschaft.

6

- Was ist dieser Grieche von Beruf?
- Er ist Fahrer.
- Was fährt er?
- Er fährt einen Bus.
- Kann er mich zum Flughafen fahren?
- Nein. Straßenbahn Nummer Fünf fährt zum Flughafen.

7

- Was ist diese Französin von Beruf?
- Sie ist Sängerin.
- Wo singt sie?
- Sie singt in einem Restaurant in der Nähe des Hotels.
- Kann ich sie singen hören?
- Ja. Kommen Sie abends um acht Uhr zum Restaurant.

8

- Was ist dieser Franzose von Beruf?
- Er ist Sportler.
- Was spielt er?
- Er spielt Fußball.
- Kann ich ihn spielen sehen?
- Ja. Kommen Sie abends um sieben Uhr zum Stadion.

9

- Was ist der Italiener von Beruf?
- Er ist Verkäufer.

- Что он продаёт?
- Он продаёт сувениры.
- Я могу купить у него сувениры?
- Да. Его магазин находится на площади.

10

- Кто эта англичанка по профессии?
- Она официантка.
- Где она обслуживает?
- Она обслуживает в ресторане.

11

- Кто этот японец?
- Этот японец покупатель.
- Что он покупает?
- Он покупает продукты в магазине.

12

- Кто этот итальянец по профессии?
- Этот итальянец повар.
- Что он готовит?
- Он готовит пиццу и спагетти.
- Я могу попробовать его пиццу?
- Да. Приходите в ресторан после обеда.

13

- Кто этот немец по профессии?
- Этот немец доктор.
- Что он лечит?
- Он лечит зубы.
- Он может вылечить мой зуб?
- Думаю да. Вот его телефон. Спросите у него.
- Спасибо.

- Was verkauft er?
- Er verkauft Souvenirs.
- Kann ich seine Souvenirs kaufen?
- Ja. Sein Geschäft liegt an dem Platz.

10

- Was ist diese Engländerin von Beruf?
- Sie ist Kellnerin.
- Wo arbeitet sie?
- Sie serviert in einem Restaurant.

11

- Wer ist dieser Japaner?
- Dieser Japaner ist Käufer.
- Was kauft er?
- Er kauft Nahrungsmittel in einem Geschäft.

12

- Was ist dieser Italiener von Beruf?
- Dieser Italiener ist Koch.
- Was kocht er?
- Er kocht Pizza und Spaghetti.
- Kann ich seine Pizza probieren?
- Ja. Kommen Sie am Nachmittag in das Restaurant.

13

- Was ist dieser Deutsche von Beruf?
- Dieser Deutsche ist Arzt.
- Was behandelt er?
- Er behandelt Zähne.
- Kann er meinen Zahn behandeln?
- Wahrscheinlich ja. Hier ist eine Telefonnummer. Fragen Sie ihn.
- Danke.

Числительные (Numerale)

Grundzahlen Mask./Fem. / Ordinalzahlen Mask./Fem. / Beispiele

1 - один/одна / первый/первая / У меня один брат и одна сестра. Ich habe einen Bruder und eine Schwester.

2 - два/две / второй/вторая / У меня два брата и две сестры.

3 - три / третий/третья / У меня три брата и три сестры.

4 - четыре / четвёртый/четвёртая / У меня четыре брата и четыре сестры.

5 - пять / пятый/пятая / У меня пять братьев и пять сестёр.

6 - шесть / шестой/шестая / У меня шесть братьев и шесть сестёр.

7 - семь / седьмой/седьмая / У меня семь братьев и семь сестёр.

8 - восемь / восьмой/восьмая / У меня восемь братьев и восемь сестёр.

9 - девять / девятый/девятая / У меня девять братьев и девять сестёр.

10 - десять / десятый/десятая / У меня десять братьев и десять сестёр.

Самолёт быстрее, чем поезд

Flugzeug ist schneller als Zug

Слова

1. бедный - arm
2. богатый - reich
3. более - mehr
4. быстро - schnell
5. быстрый - schnelle
6. высококачественный - hohe Qualität
7. дешёвый - billig
8. дорогой - teuer
9. знакомить - einführen, vorstellen
10. интересный - interessant
11. лучший - das Beste
12. недовольный - unbefriedigt, unzufrieden
13. низкокачественный - niedrige Qualität

14. но - aber
15. нужный - notwendig
16. одежда - die Kleider
17. почему - warum
18. приветливый - freundlich
19. примерить - anprobieren
20. рядом - in der Nähe
21. сервис - der Service
22. сердитый - verärgert
23. серьёзный - ernst
24. скучный - langweilig
25. стоматолог - der Zahnarzt
26. та - jene
27. тот - jener
28. умный - intelligent
29. фильм - der Film

1

- Этот гостиничный номер удобный?
- Да. Но номер на втором этаже более удобный.
- Тот номер большой?
- Да. Номер на втором этаже самый большой.

2

- Сервис в этой гостинице хороший?
- Сервис в этой гостинице высококачественный.
- Какой сервис в гостинице через дорогу?
- Сервис в той гостинице низкокачественный.

3

- Я хочу поехать в Рим.
- Вы можете поехать самолётом. Он быстрее, чем поезд.
- Билеты на самолёт очень дорогие?

1

- Ist dieses Hotelzimmer komfortabel?
- Ja. Aber das Zimmer in der zweiten Etage ist komfortabler.
- Ist das Zimmer groß?
- Ja. Das Zimmer in der zweiten Etage ist das größte.

2

- Ist der Service im Hotel gut?
- Der Service im Hotel ist erstklassig.
- Wie ist der Service im Hotel auf der anderen Straßenseite?
- Der Service in diesem Hotel ist schlecht.

3

- Ich möchte nach Rom fahren.
- Sie können mit dem Flugzeug reisen. Es ist schneller als mit dem Zug.
- Sind die Flugtickets sehr teuer?

- Нет. Билеты на самолёт не очень дорогие.

4

- Это одежда удобная?
- Нет. Вот эта одежда более удобная.
- Мне нужная самая удобная и самая красивая одежда.
- Вот. Примерьте, пожалуйста.

5

- Этот немец очень серьёзный.
- Да. Он стоматолог.
- Он хороший стоматолог?
- Да. Он самый лучший стоматолог в городе.

6

- Эта француженка очень красивая.
- Да. Она очень красивая и ещё очень умная.
- Вы можете познакомить меня с ней?
- Да. Приходите в ресторан в семь вечера.

7

- Этот англичанин высокий?
- Этот англичанин самый высокий.
- Он богатый?
- Да. Он очень богатый.

8

- Чьи это билеты на корабль?
- Это билеты на корабль Джона.
- Это дорогие билеты?
- Да. Это самые дорогие билеты на корабль.

- Nein. Flugtickets sind nicht sehr teuer.

4

- Ist diese Kleidung bequem?
- Nein. Diese Kleidung hier ist bequemer.
- Ich brauche die bequemste und die schönste Kleidung.
- Hier. Bitte probieren Sie diese an.

5

- Dieser Deutsche ist sehr ernst.
- Ja. Er ist Zahnarzt.
- Ist er ein guter Zahnarzt?
- Ja. Er ist der beste Zahnarzt in der Stadt.

6

- Diese Französin ist sehr schön.
- Ja. Sie ist sehr schön und auch sehr intelligent.
- Können Sie mich mit ihr bekannt machen?
- Ja. Kommen Sie um 7:00 Uhr abends zu dem Restaurant.

7

- Ist dieser Engländer groß?
- Diese Engländer ist der Größte.
- Ist er reich?
- Ja. Er ist sehr reich.

8

- Wessen Schiffsfahrkarten sind das?
- Das sind Johns Schiffsfahrkarten.
- Sind diese Fahrkarten teuer?
- Ja. Das sind die teuersten Schiffsfahrkarten.

- Где Ваши билеты на корабль?
- Мои билеты на корабль у гида. Они дешёвые.

9

- Этот театр красивый?
- Да. Этот театр самый красивый в городе.
- Билеты в этот театр дорогие?
- Да. Билеты недешёвые.

10

- Что это за ресторан?
- Это очень дорогой ресторан. Он лучше ресторана через дорогу.
- Кто этот француз по профессии?
- Он официант в этом ресторане. Он очень приветливый официант.

11

- Чьё это место?
- Это место Роберта.
- Оно удобное?
- Да. Оно удобное. Место рядом более удобное.
- Спасибо.

12

- Где можно купить билеты на самолёт?
- Билеты на самолёт можно купить в кассе.
- Билеты дорогие?
- Да. Билеты дорогие.
- Билеты на поезд дешевле?
- Да. Билеты на поезд более дешёвые.

- Wo sind Ihre Schiffsfahrkarten?
- Meine Schiffsfahrkarten sind bei dem Fremdenführer. Sie sind billig.

9

- Ist dieses Theater schön?
- Ja. Es ist das schönste Theater in der Stadt.
- Sind Theaterkarten teuer?
- Ja. Theaterkarten sind nicht billig.

10

- Was für ein Restaurant ist das?
- Das ist ein sehr teures Restaurant. Es ist besser als das Restaurant auf der anderen Straßenseite.
- Was ist der Franzose von Beruf?
- Er ist Kellner in diesem Restaurant. Er ist ein sehr freundlicher Kellner.

11

- Wessen Platz ist das?
- Das ist Roberts Platz.
- Ist er bequem?
- Ja. Er ist bequem. Der Platz daneben ist noch bequemer.
- Danke

12

- Wo kann man ein Flugticket kaufen?
- Sie können Flugtickets im Reisebüro kaufen.
- Sind die Tickets teuer?
- Ja. Diese Tickets sind teuer.
- Sind Zugfahrkarten billiger?
- Ja. Zugfahrkarten sind billiger.

13

- Почему этот немец сердитый?
- Этот немец купил билеты на самолёт.
- Он недоволен?
- Да. Билеты очень дорогие.

14

- Кровать в номере удобная?
- Да. Кровать в номере удобная.
- Этот номер дешёвый?
- Нет. Этот номер дорогой.

15

- Этот итальянец очень высокий?
- Да. Он высокий и также красивый.
- Он бедный?
- Нет. Этот итальянец не бедный.
- Он умный?
- Да. Он умный.

16

- Этот фильм скучный?
- Нет. Этот фильм очень интересный.
- Могу я купить билеты на этот фильм?
- Да. Вы можете купить их в кассе.
- Они дорогие?
- Нет. Билеты дешёвые.

17

- Где можно купить билеты на поезд?
- Билеты на поезд можно купить в кассе.
- Билеты дорогие?
- Нет. Билеты дешёвые.
- Поезд быстрый?
- Да. Поезд быстрый. Но самолёт

13

- Warum ist dieser Deutsche so verärgert?
- Dieser Deutsche kaufte Flugtickets.
- Ist er nicht glücklich?
- Die Tickets sind sehr teuer.

14

- Ist das Bett im Hotelzimmer bequem?
- Ja. Das Bett in dem Zimmer ist bequem.
- Ist dieses Zimmer billig?
- Nein. Dieses Zimmer ist teuer.

15

- Ist dieser Italiener sehr groß?
- Ja. Er ist groß und gut aussehend.
- Ist er arm?
- Nein. Dieser Italiener ist nicht arm.
- Ist er intelligent?
- Ja. Er ist intelligent.

16

- Ist der Film langweilig?
- Nein. Dieser Film ist sehr interessant.
- Kann ich Karten für diesen Film kaufen?
- Ja. Sie können sie an der Kasse kaufen.
- Sind sie teuer?
- Nein. Die Karten sind billig.

17

- Wo kann man Zugfahrkarten kaufen?
- Zugfahrkarten kann man im Reisezentrum kaufen.
- Sind die Karten teuer?
- Nein. Die Fahrkarten sind billig.
- Ist der Zug schnell?
- Ja. Der Zug ist schnell. Aber das

быстрее.
- Билеты на самолёт дороже?
- Да. Билеты на самолёт дороже. Они очень дорогие.

Flugzeug ist schneller.
- Sind die Flugtickets teurer?
- Ja. Die Flugtickets sind teurer. Sie sind sehr teuer.

Komparativ der Adjektive

Der Komparativ der Adjektive bildet sich durch die Endungen -ее (-ей), -е, -ше: длинный (lang) - длиннее/длинней (länger), красивый (schön) - красивее/красивей (schöner), тонкий (dünn) - тоньше (dünner). Die Ausnahmen sind: хороший (gut) - лучше (besser), плохой (schlecht) - хуже (schlechter).

Man kann den Komparativ auch durch die Wörter более (mehr), менее (weniger) bilden:

умный (klug) - более/менее умный (mehr/weniger klug), низкий (niedrig) - более/менее низкий (niedriger/weniger niedrig), дружелюбный (freundlich) - более/менее дружелюбный (mehr/weniger freundlich):

Евгений встаёт раньше, чем я. Eugen steht früher auf als ich.

Эта программа более интересная, чем та. Dieses Programm ist interessanter als jenes.

Superlativ der Adjektive

Der Superlativ der Adjektive bildet sich durch die Endungen -ейший, -айший: умнейший (der klügste), сильнейший (der stärkste): Он умнейший человек. Er ist der klügste Mensch.

Man kann Superlativ auch durch die Wörter самый, наиболее, наименее: умный (klug) - самый умный/наиболее умный (der klügste), наименее умный (der am wenigsten kluge).

Самое хорошее кафе нашего города находится на ул. Пушкина. Das beste Café unserer Stadt befindet sich in der Puschkinstrasse.

Лена самая умная ученица нашего класса. Lena ist die beste Schülerin unserer Klasse.

12.

Как туда можно быстро доехать?

Wie kann ich schnell dorthin kommen?

Слова

1. быстро - schnell
2. выглядеть - aussehen
3. глядеть, смотреть - (an)sehen, schauen
4. деревня - das Dorf
5. дорога - der Weg, die Straße
6. жить - wohnen, leben
7. интересно - interessant
8. который - welcher
9. красиво - schön
10. лететь - fliegen
11. медленно - langsam

12. недовольно - unglücklich
13. нужен - notwendig
14. одеть / носить - tragen (Kleidung)
15. потому-что - weil
16. приветливо - freundlich
17. рядом - in der Nähe
18. сердито - verärgert
19. серьёзно - ernsthaft
20. скучно - langweilig
21. стоить - kosten
22. стоять - stehen
23. счастливо - glücklich
24. так - so
25. туда - dorthin
26. удобно - bequem
27. хорошо - gut

1

- Эта гостиница удобная?
- Эта гостиница не очень удобная. А гостиница на площади более удобная, потому что там рядом магазины, рестораны и театры.
- Как туда можно быстро доехать?
- Быстро можно доехать на трамвае номер пять. А ещё быстрее на такси.

2

- Как обслуживают в этой гостинице?
- В этой гостинице обслуживают хорошо.
- Как обслуживают в гостинице через дорогу?
- В той гостинице обслуживают нехорошо.

3

- Я хочу поехать в Англию.
- Вы можете поехать самолётом. Это

1

- Ist dieses Hotel angenehm?
- Dieses Hotel ist nicht sehr angenehm. Aber das Hotel bei dem Platz ist angenehmer, weil es dort einige Geschäfte, Restaurants und ein Theater in der Nähe gibt.
- Wie kann ich schnell dorthin kommen?
- Sie können mit der Straßenbahn Nummer fünf schnell dorthin kommen. Und noch schneller mit dem Taxi.

2

- Wie ist der Service in diesem Hotel?
- Der Service in diesem Hotel ist gut.
- Wie ist der Service in dem Hotel auf der anderen Straßenseite?
- In dem Hotel ist der Service nicht so gut.

3

- Ich möchte nach England fahren.
- Sie können mit dem Flugzeug reisen. Es

быстро.
- Билеты на самолёт стоят дорого?
- Билеты на самолёт стоят не очень дорого.

4

- Вам удобно в этой одежде?
- Мне нужна одежда, в которой мне удобно. В той одежде мне более удобно.
- Примерьте её, пожалуйста. Эта одежда не дорогая.

5

- Почему этот немец смотрит так серьёзно?
- Потому что он стоматолог.
- Он хорошо лечит людей?
- Да. Он хорошо лечит. Он лучший стоматолог в этой деревне.

6

- Эта француженка одета в красивое платье.
- Да. Она выглядит красиво.
- Вы можете познакомить меня с ней?
- Да. Приходите в ресторан в восемь вечера.

7

- Чьи это билеты на корабль?
- Это билеты на корабль Кати.
- Эти билеты дорогие?
- Да. Они дорогие. Это самые дорогие билеты на корабль.
- Где Ваши билеты на корабль?

ist schnell.
- Sind Flugtickets teuer?
- Flugtickets sind nicht sehr teuer.

4

- Fühlen Sie sich wohl in dieser Kleidung?
- Ich brauche Kleidung, in der ich mich wohl fühle. In jenen Kleidern fühle ich mich wohler.
- Probieren Sie bitte diese an. Diese Kleidung ist nicht teuer.

5

- Warum schaut der Deutsche so ernsthaft?
- Weil er ein Zahnarzt ist.
- Behandelt er die Menschen gut?
- Ja. Er behandelt sie gut. Er ist der beste Zahnarzt in diesem Dorf.

6

- Diese Französin trägt ein schönes Kleid.
- Ja. Sie sieht schön aus.
- Können Sie mich mit ihr bekannt machen?
- Ja. Kommen Sie um acht Uhr zum Restaurant.

7

- Wessen Schiffsfahrkarten sind das?
- Diese sind Kates Schiffsfahrkarten.
- Sind diese Fahrkarten teuer?
- Ja. Sie sind teuer. Das sind die teuersten Schiffsfahrkarten.
- Wo sind Ihre Schiffsfahrkarten?
- Der Fremdenführer hat meine

- Мои билеты на корабль у гида. Они дешёвые.

8

- В этом театре красиво?
- Да. В этом театре красиво. Этот театр самый лучший в городе.
- Билеты в этот театр стоят дорого?
- Нет. Билеты стоят дёшево.

9

- Что это за ресторан?
- Это ресторан очень дорогой.
- Кто этот француз по профессии?
- Он официант в этом ресторане. Он обслуживает приветливо.

10

- Что это за место?
- Это место испанца.
- Здесь удобно?
- Да. Здесь удобно. А Ваше место более удобное.

11

- Где можно купить билеты на самолёт?
- Билеты на самолёт можно купить в кассе.
- Авиабилеты стоят дорого?
- Да. Авиабилеты стоят дорого.
- Билеты на поезд стоят дороже?
- Нет. Билеты на поезд стоят дешевле.

12

- Почему этот немец выглядит сердито?
- Этот немец хочет купить билеты на

Schiffsfahrkarten. Sie sind billig.

8

- Ist es nett in diesem Theater?
- Ja. In diesem Theater ist es nett. Dieses Theater ist das Beste in der Stadt.
- Sind die Eintrittskarten für das Theater teuer?
- Nein. Die Karten sind billig.

9

- Was für ein Restaurant ist das?
- Dieses Restaurant ist sehr teuer.
- Was ist dieser Franzose von Beruf?
- Er ist ein Kellner in diesem Restaurant. Er bedient auf sehr nette Art und Weise.

10

- Wessen Platz ist das?
- Das ist der Platz des Spaniers.
- Ist es hier bequem?
- Ja. Es ist bequem. Und Ihr Sitz ist noch bequemer.

11

- Wo können Sie Flugtickets kaufen?
- Sie können Flugtickets im Reisecenter kaufen.
- Sind Flugtickets teuer?
- Ja. Flugtickets sind teuer.
- Sind Zugfahrkarten teurer?
- Nein. Zugfahrkarten sind billiger.

12

- Warum schaut dieser Deutsche so verärgert?
- Dieser Deutsche möchte Flugtickets

самолёт.

- Почему он выглядит недовольно?
- Потому что билеты стоят очень дорого.

13

- Этот номер стоит дёшево?
- Нет. Этот номер стоит дорого.
- Почему этот номер стоит дорого?
- Потому что он очень удобный.

14

- Поезд едет быстро?
- Да. Поезд едет быстро. Но самолёт летит быстрее.
- Билеты на самолёт стоят дорого?
- Да. Билеты на самолёт стоят дорого. Они стоят дороже, чем билеты на поезд.

15

- В этом театре скучно?
- Нет. В этом театре очень интересно.
- Где я могу купить билеты в этот театр?
- Вы можете купить их в кассе.
- Они стоят дорого?
- Да. Билеты стоят недёшево.

16

- В этом автобусе удобно?
- Да. В этом автобусе удобно. Но автобус едет медленно.
- Что едет быстрее?
- Самолёт летит быстрее. Но он дороже.

kaufen.

- Warum sieht er so unglücklich aus?
- Weil die Tickets sehr teuer sind.

13

- Ist dieses Zimmer billig?
- Nein. Dieses Zimmer ist teuer.
- Warum ist dieses Zimmer teuer?
- Weil es sehr komfortabel ist.

14

- Fährt der Zug schnell?
- Ja. Der Zug fährt schnell. Aber das Flugzeug fliegt schneller.
- Sind Flugtickets teuer?
- Ja. Flugtickets sind teuer. Sie sind teurer als Zugfahrkarten.

15

- Ist es in diesem Theater langweilig?
- Nein. Es ist in diesem Theater sehr interessant.
- Wo kann man Karten für dieses Theater kaufen?
- Man kann sie an der Abendkasse kaufen.
- Sind sie teuer?
- Ja. Tickets sind nicht billig.

16

- Ist es in diesem Bus bequem?
- Ja. In diesem Bus ist es bequem. Aber der Bus fährt langsam.
- Was ist schneller?
- Das Flugzeug ist schneller. Aber es ist teurer.

17

- Она выглядит счастливо.
- Да. Она собирается ехать в Рим. Там очень красиво.
- Она собирается лететь на самолёте?
- Да. А авиабилеты до Рима недешёвые.

17

- Sie sieht glücklich aus.
- Ja. Sie wird nach Rom fahren. Es ist dort sehr schön.
- Wird sie mit dem Flugzeug reisen?
- Ja. Und Flugtickets nach Rom sind nicht billig.

Reihenfolge der Worte

Die Reihenfolge der Worte im Russischen ist sehr flexibel. Die Russen beginnen den Satz normalerweise mit dem Ort und der Zeit der Handlung. Завтра я работаю. Ich arbeite morgen. На этой улице много банков. Es gibt viele Banken in dieser Strasse. Steigende Intonation weißt auf eine Frage hin: Ты студент↑? Bist du Student? Wenn der Satz mit einem Fragewort beginnt, ist die Intonation normalerweise bestätigend: Где магазин↓? Wo ist das Geschäft?

Deklination der Verben жить - leben, говорить - sprechen, работать - arbeiten

Я: Живу / Говорю / Работаю
Мы: Живём / Говорим / Работаем
Ты: Живёшь / Говоришь / Работаешь
Вы/вы: Живёте / Говорите / Работаете
Он/она/оно: Живёт / Говорит / Работает
Они: Живут / Говорят / Работают

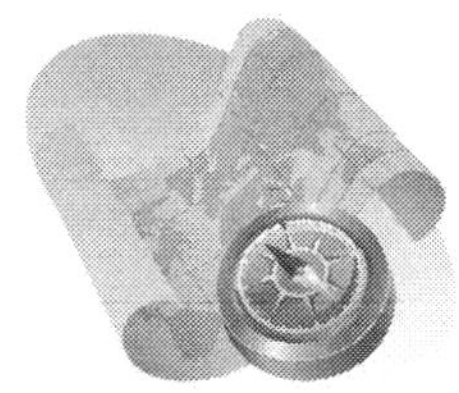

Скажите, пожалуйста, как пройти к художественной галерее?

Können Sie mir sagen, wie ich zur Kunstgalerie komme?

Слова

1. банк - die Bank
2. быть - sein
3. вверх - hinauf
4. вернуться - zurückkehren
5. видеть - sehen
6. вниз - hinunter
7. вокруг - um
8. выставка - die Ausstellung
9. выходить - ausgehen
10. галерея - die Galerie
11. добраться - erreichen
12. к - zu

13. квартал - der Wohnblock
14. мимо - vorbei, in der Nähe
15. назад - zurück
16. налево/слева - links
17. направо/справа - rechts
18. напротив - gegenüber, auf der anderen Seite
19. немного - etwas
20. обойти - herumgehen
21. общественный - öffentlich
22. от - von
23. повернуть - einbiegen
24. под - unter
25. подняться - hinaufgehen
26. попасть - erreichen
27. потом - danach
28. прямо - geradeaus
29. сесть - sich setzen
30. сказать - sagen
31. собор - die Kathedrale
32. спектакль - die Show
33. транспорт - der Transport
34. ходить - (zu Fuß) gehen
35. художественный - künstlerisch
36. центральный - zentral
37. церковь - die Kirche
38. четыре - vier
39. шесть - sechs

1

- Скажите, пожалуйста, как пройти к художественной галерее?
- Идите прямо туда до церкви. Там нужно повернуть направо. Потом пройти мимо банка и галерея будет справа.
- Туда можно доехать общественным транспортом?
- Туда ходит автобус номер восемь и трамвай номер четыре. Нужно ехать до остановки "Галерея".

1

- Können Sie mir sagen, wie ich zur Kunstgalerie komme?
- Gehen Sie geradeaus zu der Kirche. Dort müssen Sie rechts abbiegen. Dann kommen Sie an der Bank vorbei und die Galerie ist rechts von Ihnen.
- Kann man mit öffentlichen Verkehrsmitteln dorthin kommen?
- Bus Nummer acht und Straßenbahn Nummer vier fahren dorthin. Sie müssen bis zu der Haltestelle „Galerie“ fahren.

2

- Скажите, пожалуйста, как пройти к

2

- Können Sie mir sagen, wie ich zum

музею?
- Идите по этой улице. Возле собора нужно повернуть налево. Справа будет большой магазин. Напротив него центральная площадь. Там находится музей.
- Как туда можно доехать общественным транспортом?
- Туда ходит автобус номер семь. Автобус проедет под мостом и на следующей остановке Вам нужно выходить. Потом нужно немного пройти вверх. Там и будет музей.
- Спасибо.

3

- Я хочу посетить выставку. Как я могу добраться до неё?
- Вам нужно сесть на трамвай номер четыре. Доехать до остановки "Галерея". Возле остановки находится художественная галерея. Там проходит выставка.
- После выставки мне нужно на автостанцию.
- Вам нужно будет подняться вверх по улице, повернуть направо и в конце улицы находится автостанция.
- Спасибо.

4

- Скажите, пожалуйста, как пройти к собору?
- Идите прямо туда до того кафе. Там

Museum komme?
- Gehen Sie diese Straße hinunter. An der Kathedrale gehen Sie nach links. Dort ist ein großes Kaufhaus auf der rechten Seite. Gegenüber ist der zentrale Platz. Dort ist das Museum.
- Wie kann man mit öffentlichen Verkehrsmitteln dorthin gelangen?
- Bus Nummer sieben fährt dorthin. Der Bus wird unter einer Brücke durchfahren und Sie müssen an der nächsten Haltestelle aussteigen. Dann müssen Sie ein Stück zu Fuß gehen. Dort ist das Museum.
- Danke.

3

- Ich möchte die Ausstellung besuchen. Wie kann ich dorthin kommen?
- Sie müssen die Straßenbahn Nummer vier nehmen. Fahren Sie bis zur Haltestelle „Galerie“. In der Nähe der Haltestelle ist die Kunstgalerie. Dort findet auch die Ausstellung statt.
- Nach der Show muss ich zum Busbahnhof kommen.
- Sie müssen die Straße hinaufgehen, dann rechts abbiegen. Der Busbahnhof ist am Ende der Straße.
- Danke.

4

- Können Sie mir bitte sagen, wie ich zur Kathedrale komme?
- Gehen Sie geradeaus bis zu dem Café und

нужно повернуть налево. Потом пройти мимо гостиницы и собор будет справа.

- Туда можно доехать общественным транспортом?

- Туда ходит автобус номер шесть и троллейбус номер четыре. Нужно ехать до остановки "Собор".

5

- Я хочу посетить центральную площадь. Как мне до неё добраться?

- Туда ходит автобус номер восемь и трамвай номер пять. Нужно ехать до остановки "Площадь".

- Могу я добраться туда пешком?

- Да, конечно. Идите туда вниз по улице. Поверните направо возле собора. Справа будет большой магазин. Центральная площадь находится напротив него.

6

- Где находится билетная касса?

- Билетная касса находится возле магазина с сувенирами. Вам нужно доехать до центральной площади. Там слева от площади находится банк. Нужно обойти вокруг банка и Вы увидите кассу.

- Спасибо. А как доехать до площади?

- Туда ходит автобус номер восемь. Нужно ехать до остановки "Площадь".

dort müssen Sie links abbiegen. Dann gehen Sie am Hotel vorbei. Die Kathedrale ist auf der rechten Seite.

- Kann man mit öffentlichen Verkehrsmitteln dorthin kommen?

- Bus Nummer sechs und Oberleitungsbus Nummer vier fahren dorthin. Sie müssen bis zur Haltestelle „Kathedrale“ fahren.

5

- Ich möchte den zentralen Platz besuchen. Wie komme ich dorthin?

- Bus Nummer acht und Straßenbahn Nummer fünf fahren dorthin. Sie müssen bis zur Haltestelle „Platz“ fahren.

- Kann ich dorthin zu Fuß gehen?

- Ja, natürlich. Gehen Sie hier der Straße entlang. Biegen Sie in der Nähe der Kathedrale rechts ab. Auf der rechten Seite ist dort ein großes Kaufhaus. Der zentrale Platz ist gegenüber.

6

- Wo ist die Kartenverkaufsstelle?

- Die Kartenverkaufsstelle ist in der Nähe des Souvenirgeschäftes. Sie müssen zum zentralen Platz fahren. Links vom Platz liegt eine Bank. Sie müssen um die Bank herumgehen und dann sehen Sie die Kartenverkaufsstelle.

- Danke. Und wie kann ich zu dem Platz kommen?

- Bus Nummer acht fährt dorthin. Sie müssen bis zur Haltestelle „Platz“ fahren.

7

- Скажите, пожалуйста, как пройти к театру?
- Идите прямо туда до гостиницы. Там поверните направо. Потом идите мимо банка и театр будет справа.
- Туда можно доехать общественным транспортом?
- Туда ходит автобус номер шесть и троллейбус номер два. Нужно ехать до остановки "Театр".

8

- Скажите, пожалуйста, как пройти к аэропорту?
- Идите туда прямо до конца улицы. Там поверните налево. Потом пройдите вверх по улице три квартала и аэропорт будет слева.
- Туда можно доехать общественным транспортом?
- Туда ходит автобус номер пять и трамвай номер шесть. Нужно ехать до остановки "Аэропорт".

9

- Я хочу пойти на спектакль. Как я могу попасть туда?
- Садитесь на троллейбус номер два и едьте до остановки "Театр". Театр находится возле остановки. Спектакль проходит там.
- После спектакля мне нужно на ж.д. станцию.

7

- Können Sie mir bitte sagen, wie ich zum Theater komme?
- Gehen Sie geradeaus zum Hotel. Dort biegen Sie rechts ab. Dann gehen Sie an der Bank vorbei. Das Theater ist auf der rechten Seite.
- Kann ich mit öffentlichen Verkehrsmitteln dorthin kommen?
- Bus Nummer sechs und Oberleitungsbus Nummer zwei fahren dorthin. Sie müssen bis zur Haltestelle „Theater“ fahren.

8

- Können Sie mir bitte sagen, wie ich zum Flughafen komme?
- Gehen Sie bis zum Ende der Straße. Dort biegen Sie nach links ab. Dann gehen sie drei Blocks die Straße hinunter. Der Flughafen ist auf der linken Seite.
- Kann man mit öffentlichen Verkehrsmitteln dorthin kommen?
- Bus Nummer fünf und Straßenbahn Nummer sechs fahren dorthin. Sie müssen bis zur Haltestelle „Flughafen“ fahren.

9

- Ich möchte gern zu der Show gehen. Wie kann ich dorthin kommen?
- Nehmen Sie den Oberleitungsbus Nummer zwei bis zur Haltestelle „Theater“. Das Theater ist in der Nähe der Haltestelle. Dort findet die Show statt.
- Ich muss nach der Show zum Bahnhof

- Вам нужно будет подняться вверх по улице, повернуть налево и в конце улицы находится остановка. Вам нужно сесть на автобус номер три. Он идёт прямо до ж.д. станции. Это конечная остановка.
- Спасибо.

10

- Скажите, пожалуйста, как пройти к парку?
- Идите прямо туда до церкви. Там поверните направо. Потом пройдите мимо центральной площади и парк будет слева.
- Туда можно доехать общественным транспортом?
- Туда ходит автобус номер семь и трамвай номер четыре. Нужно ехать до остановки "Парк".

11

- Где находится сувенирный магазин?
- Магазин с сувенирами находится на центральной площади.
- Спасибо. А как доехать до площади?
- Туда ходит автобус номер восемь. Нужно ехать до остановки "Площадь".
- Туда можно дойти пешком?
- Да. Вам нужно пройти до парка. Там слева от парка находится мост через реку. Нужно пройти под ним и Вы

kommen.
- Sie müssen die Straße entlanggehen und links abbiegen. Dort ist die Haltestelle am Ende der Straße. Sie müssen Bus Nummer drei nehmen. Er fährt geradewegs zum Bahnhof. Das ist auch die Endhaltestelle.
- Danke.

10

- Können Sie mir bitte sagen, wie ich zum Park komme?
- Gehen Sie geradeaus bis zur Kirche. Dort biegen Sie rechts ab. Dann laufen Sie bis hinter den Platz. Der Park ist auf der linken Seite.
- Kann man mit öffentlichen Verkehrsmitteln dorthin kommen?
- Bus Nummer sieben und Straßenbahn Nummer vier fahren dorthin. Sie müssen bis zur Haltestelle „Park“ fahren.

11

- Wo ist der Geschenkeladen?
- Der Geschenkeladen liegt am zentralen Platz.
- Danke. Wie kann ich zu dem Platz kommen?
- Bus Nummer acht fährt dorthin. Sie müssen bis zur Haltestelle „Platz“ fahren.
- Kann man auch dorthin laufen?
- Ja. Sie müssen bis zu dem Park gehen. Links vom Park gibt es eine Brücke über den Fluss. Sie müssen über die Brücke gehen und werden dann den Platz sehen.

увидите площадь. Там справа находится магазин с сувенирами.

12

- Скажите, пожалуйста, как пройти к ресторану?
- Идите туда вниз по улице. Поверните налево возле гостиницы. Справа большой магазин. Напротив него находится ресторан.
- Как туда можно доехать общественным транспортом?
- Туда ходит автобус номер семь. Автобус проедет под мостом и на следующей остановке Вам нужно выходить. Потом пройдите немного вверх. Ресторан находится там.
- Спасибо.

13

- Где можно купить билеты в театр?
- Билеты в театр можно купить в театральной кассе.
- Где находится касса?
- Касса находится возле магазина с сувенирами. Вам нужно доехать до центральной площади. Там справа от площади находится банк. Там Вы увидите кассу.
- Спасибо. А как мне доехать до площади?
- Туда ходит автобус номер восемь. Нужно ехать до остановки "Площадь".

Das Geschäft mit Souvenirs ist auf der rechten Seite.

12

- Können Sie mir bitte sagen, wie ich zum Restaurant komme?
- Gehen Sie hier die Straße entlang. Biegen Sie in der Nähe des Hotels links ab. Dort finden Sie ein großes Kaufhaus auf der rechten Seite. Das Restaurant ist genau gegenüber.
- Wie kann man mit den Verkehrsmitteln dorthin kommen?
- Bus Nummer sieben fährt dorthin. Der Bus wird auf einer Brücke fahren und Sie müssen dann an der nächsten Haltestelle aussteigen. Dann gehen Sie ein Stück zu Fuß. Dort ist das Restaurant.
- Danke.

13

- Wo kann ich Eintrittskarten für das Theater kaufen?
- Eintrittskarten kann man an der Theaterkasse kaufen.
- Wo ist die Theaterkasse?
- Die Theaterkasse ist in der Nähe des Souvenirgeschäftes. Sie müssen zum zentralen Platz fahren. Rechts vom Platz ist eine Bank. Dort werden Sie die Theaterkasse sehen.
- Danke. Und wie kann ich zu dem Platz kommen?
- Bus Nummer acht fährt dorthin. Sie müssen bis zur Haltestelle „Platz“ fahren.

14

- Скажите, пожалуйста, как пройти к ж.д. станции?
- Идите вверх по улице. Потом поверните направо. Там находится автобусная остановка. Садитесь на автобус номер три. Он идёт прямо до ж.д. станции. Это конечная остановка.
- Спасибо.

15

- Я хочу посетить собор. Как я могу добраться до него?
- Садитесь на трамвай номер восемь. Едьте до остановки "Площадь". Возле остановки находится центральная площадь. Там справа находится собор.
- А трамвай номер восемь идёт до ж.д. станции?
- Нет. Трамвай номер пять идёт до ж.д. станции. Вам нужно будет подняться вверх по улице. Остановка находится в конце улицы.
- Спасибо.

16

- Скажите, пожалуйста, как пройти к автостанции?
- Идите прямо туда до остановки. Там поверните налево. Потом идите мимо магазина и автостанция будет справа.

14

- Können Sie mir bitte sagen wie ich zu Fuß zum Bahnhof komme?
- Gehen Sie die Straße hinauf. Dann biegen Sie rechts ab. Dort ist eine Bushaltestelle. Nehmen Sie den Bus Nummer drei. Er fährt geradewegs zum Bahnhof. Das ist auch die Endhaltestelle.
- Danke.

15

- Ich möchte die Kathedrale besuchen. Wie kann ich sie erreichen?
- Nehmen Sie Straßenbahn Nummer acht. Fahren Sie bis zur Bushaltestelle „Platz“. Der zentrale Platz ist in der Nähe der Haltestelle. Die Kathedrale ist auf der rechten Seite.
- Fährt die Straßenbahn Nummer acht zum Bahnhof?
- Nein. Straßenbahn Nummer fünf fährt zum Bahnhof. Sie müssen die Straße hinauf gehen. Die Straßenbahnhaltestelle ist am Ende der Straße.
- Danke.

16

- Können Sie mir sagen, wie ich zum Busbahnhof komme?
- Gehen Sie hier geradeaus bis zur Bushaltestelle. Dort biegen Sie links ab. Dann gehen Sie am Geschäft vorbei. Der Busbahnhof ist auf der rechten Seite.
- Kann man mit öffentlichen

- Туда можно доехать общественным транспортом?

- Туда ходит троллейбус номер четыре. Нужно ехать до остановки "Автостанция".

17

- Я хочу сходить в бассейн. Как мне до него добраться?

- Туда ходит автобус номер три и трамвай номер шесть. Нужно ехать до остановки "Гостиница".

- Могу я добраться туда пешком?

- Да, конечно. Идите туда по улице. Поверните налево возле собора. Справа будет большая гостиница. Возле неё находится бассейн.

Verkehrsmitteln dorthin kommen?

- Oberleitungsbus Nummer vier fährt dorthin. Sie müssen bis zur Haltestelle „Busbahnhof“ fahren.

17

- Ich möchte das Schwimmbad besuchen. Wie kann ich dorthin kommen?

- Bus Nummer drei und Straßenbahn Nummer sechs fahren dorthin. Sie müssen bis zur Haltestelle „Hotel“ fahren.

- Kann ich zu Fuß dorthin gehen?

- Ja, natürlich. Gehen Sie hier die Straße entlang. Biegen Sie an der Kathedrale links ab. Auf der rechten Seite dort ist ein großes Hotel. Das Schwimmbad ist in der Nähe des Hotels.

Dativ der Pronomen

Nominativ (Именительный) / Dativ (Дательный) / Beispiel (Пример)

Я / Мне / Дайте мне банан, пожалуйста. Geben Sie mir eine Banane, bitte.

Мы / Нам / Дайте нам бананы, пожалуйста. Geben Sie uns Bananen, bitte.

Ты / Тебе / Вот тебе банан, пожалуйста. Die Banane ist für dich, bitte.

Вы/вы / Вам/вам / Вот Вам/вам бананы, пожалуйста. Das sind Bananen für Sie/euch, bitte.

Он / Ему / Дайте ему банан, пожалуйста. Geben Sie ihm eine Banane, bitte.

Она / Ей / Дайте ей банан, пожалуйста. Geben Sie ihr eine Banane, bitte.

Оно / Ему / Дайте ему банан, пожалуйста. Geben Sie ihm eine Banane, bitte.

Они / Им / Дайте им бананы, пожалуйста. Geben Sie ihnen Bananen, bitte.

Konjugation des Verbs Хотеть

Infinitiv: хотеть (wollen)

Я хочу (Ich will)

Ты хочешь (Du willst)

Он, она, оно хочет (Er, sie, es will)

Мы хотим (wir wollen)

Вы/вы хотите (Sie wollen, ihr wollt)

Они хотят (Sie wollen)

Например:

- Ты хочешь пойти в библиотеку? Willst du in die Bibliothek gehen?
- Нет, мой друг и я хотим пойти в кино. Nein, mein Freund und ich wollen ins Kino gehen.

Monate

Die Monate im Russischen sind sehr ähnlich den Monaten im Deutschen oder im Englischen. Das Geschlecht aller Monate im Russischen ist Maskulinum. Anmerkung: abgesehen vom Anfang des Satzes werden die Monate im Russischen klein geschrieben.

Зимние месяцы - декабрь, январь, февраль. Wintermonate - Dezember, Januar, Februar.

Весенние месяцы - март, апрель, май. Frühlingmonate - März, April, Mai.

Летние месяцы - июнь, июль, август. Sommermonate - Juni, Juli, August.

Осенние месяцы - сентябрь, октябрь, ноябрь. Herbstmonate - September, Oktober, November.

В мае мы были в Эрмитаже. Wir waren im Mai in Eremitage.

В декабре холодно, но нет снега. Es ist kalt im Dezember, aber es gibt keinen Schnee.

С сентября она вышила 3 новых картины. Sie hat 3 neue Bilder seit September gestickt.

Я нахожусь в России с мая. Ich bin in Russland seit Mai.

Где можно купить несколько сувениров?

Wo man einige Souvenirs kaufen kann?

Слова

1. бабочка - der Schmetterling
2. брать - nehmen
3. вид - das Aussehen
4. вода - das Wasser
5. входить - betreten
6. выбор - die Auswahl
7. давать - geben
8. другой - anderer
9. ездить - fahren
10. кто-нибудь - jemand
11. мерить - messen
12. написано - geschrieben

13. несколько - einige
14. нести - tragen
15. новый - neu
16. нравиться - mögen
17. отправляться - losfahren, beginnen
18. платье - das Kleid
19. подсказать - einen Hinweis geben
20. помогать - helfen
21. понимать - verstehen
22. размер - die Größe
23. садиться - sich setzen
24. угощать - jemanden zu etwas einladen
25. фрукты - das Obst
26. экскурсия - der Ausflug
27. яблоко - der Apfel

1

- Скажите, пожалуйста, где можно купить несколько сувениров?
- Идите на центральную площадь. Там есть магазин с сувенирами. У них большой выбор.
- Подскажите, как мне добраться до центральной площади?
- Садитесь на автобус номер восемь. Езжайте до остановки "Площадь"
- Спасибо.

1

- Können Sie mir bitte sagen, wo man einige Souvenirs kaufen kann?
- Gehen Sie zu dem zentralen Platz. Dort ist ein Souvenirgeschäft. Sie haben eine große Auswahl.
- Sagen Sie, wie komme ich zu dem Hauptplatz?
- Nehmen Sie Bus Nummer acht. Fahren Sie bis zur Haltestelle “Platz“.
- Danke.

2

- Скажите, пожалуйста, как я могу добраться до парка?
- Я не знаю. Спросите у кого-нибудь ещё.
- Вы подскажите, как я могу добраться до парка?
- Да. Идите туда вниз по улице.

2

- Bitte sagen Sie mir, wie ich zum Park komme.
- Ich weiß es nicht. Fragen Sie eine andere Person.
- Können Sie mir sagen, wie ich zum Park komme?
- Ja. Gehen Sie die Straße hinunter. An der

Возле собора поверните налево. Там слева находится парк.
- Спасибо.

3

- Мне нужно новое платье. Помогите, пожалуйста.
- Померяйте вот это платье. Это платье очень красивое.
- Дайте мне другой размер. Этот размер маленький.
- Вот, возьмите. У нас есть ещё очень хорошие платья. Померяйте ещё.
- Мне нравятся вот эти два платья.
- Купите два платья.
- Хорошо. Я беру два.

4

- Входите в номер, пожалуйста.
- Спасибо.
- Присаживайтесь, пожалуйста. Угощайтесь яблоками. Вот вода, пейте.
- Спасибо. У Вас есть телефон? Мне нужно позвонить другу.
- Да, конечно. Вот он.

5

- Скажите, пожалуйста, как пройти к аэропорту?
- Садитесь на автобус номер пять или трамвай номер пять. Езжайте до остановки "Аэропорт".

Kathedrale biegen Sie links ab. Der Park ist auf der linken Seite.
- Danke.

3

- Ich brauche ein neues Kleid. Helfen Sie mir bitte.
- Probieren Sie dieses Kleid an. Das Kleid ist sehr schön.
- Geben Sie mir eine andere Größe. Diese Größe ist zu klein.
- Bitte sehr. Wir haben andere sehr schöne Kleider. Probieren Sie noch einige an.
- Ich mag diese beiden Kleider.
- Kaufen Sie beide Kleider.
- Gut. Ich nehme zwei.

4

- Treten Sie bitte in das Zimmer.
- Danke.
- Setzen Sie sich, bitte. Nehmen Sie sich von den Äpfeln und hier ist etwas Wasser, trinken Sie.
- Danke. Haben Sie ein Telefon? Ich muss einen Freund anrufen.
- Ja, natürlich. Hier ist es.

5

- Sagen Sie mir bitte, wie ich zum Flughafen komme?
- Neben Sie Bus Nummer fünf oder die Straßenbahn Nummer fünf. Fahren Sie bis zur Haltestelle „Flughafen“.

6

- Скажите, пожалуйста, как я могу пройти к художественной галерее?
- Я не знаю. Спросите у кого-нибудь ещё. Или посмотрите на карте.
- У меня нет карты.
- Идите в тот магазин. В магазине продаётся несколько видов карт. Там купите карту.
- Спасибо.

7

- Я хочу пойти на экскурсию.
- Купите билеты на корабль. Он отправляется через час.
- Подскажите где можно купить билеты?
- Их можно купить в той кассе.
- Спасибо.

8

- У Вас есть брошюры?
- Да. Берите эту брошюру. Она на английском языке.
- Прочитайте, пожалуйста, что здесь написано. Я не могу понять.
- Конечно.

9

- Посмотрите на этот музей. Он выглядит очень старым.
- Входите, там сейчас проходит выставка бабочек. Купите билеты в кассе.
- Хорошо, спасибо. Дайте мне два

6

- Sagen Sie mir bitte, wie ich zu der Kunstgalerie kommen kann?
- Ich weiß nicht. Fragen Sie eine andere Person. Oder sehen Sie auf dem Stadtplan nach.
- Ich habe keinen Plan.
- Gehen Sie zu dem Geschäft. Das Geschäft verkauft verschiedene Karten. Kaufen Sie dort einen Stadtplan.
- Danke.

7

- Ich möchte einen Ausflug machen.
- Besorgen Sie sich Fahrkarten für das Schiff. Es fährt in einer Stunde los.
- Sagen Sie mir, wo ich Fahrkarten kaufen kann?
- Sie können sie am Fahrkarten-schalter kaufen.
- Danke.

8

- Haben Sie Prospekte?
- Ja. Nehmen Sie diesen Prospekt. Er ist in Englisch.
- Bitte lesen Sie was hier steht. Ich kann das nicht verstehen.
- Gewiss.

9

- Schauen Sie sich dieses Museum an. Es sieht sehr alt aus.
- Kommen Sie herein, es gibt jetzt eine Ausstellung mit Schmetterlingen. Holen Sie sich Ihre Eintrittskarten an der Kasse.
- Prima, danke. Geben Sie mir zwei Karten.

билета.

- Возьмите, пожалуйста.

10

- Я хочу купить немного фруктов. Скажите, пожалуйста, где их можно купить?

- Идите в магазин возле гостиницы. И принесите мне немного.

- Конечно, я куплю и Вам.

- Вот деньги. Спасибо большое.

11

- Я хочу посетить выставку. Скажите, пожалуйста, как я могу добраться до неё?

- Садитесь на трамвай номер четыре. Езжайте до остановки "Галерея". Возле остановки находится художественная галерея. Там проходит выставка.

- После выставки мне нужно на автостанцию. Можете подсказать, как до неё добраться?

- Поднимитесь вверх по улице. Поверните направо и в конце улицы находится автостанция.

- Спасибо.

- Bitte nehmen Sie sie.

10

- Ich möchte gern etwas Obst kaufen. Könnten Sie mir sagen, wo man das kaufen kann?

- Gehen Sie zu dem Geschäft in der Nähe des Hotels. Und bringen Sie mir auch etwas mit.

- Gewiss, ich werde Ihnen auch etwas kaufen.

- Hier ist das Geld. Ganz herzlichen Dank.

11

- Ich möchte gern zu der Ausstellung gehen. Können Sie mir bitte sagen wie ich dorthin komme?

- Nehmen Sie die Straßenbahn Nummer vier. Fahren Sie bis zur Haltestelle „Galerie“. Dort findet die Ausstellung statt.

- Ich muss nach der Show zum Busbahnhof gehen. Können Sie mir sagen, wie ich dorthin komme?

- Gehen Sie die Straße hinauf. Biegen Sie dann rechts ab. Am Ende der Straße ist der Busbahnhof.

- Danke.

Adverbien

Adverbien des Ortes und der Richtung haben kein spezielles Suffix. Sie ändern ihre Formen nicht nach Geschlecht, Zahl und Kasus, d. h. sie sind unveränderlich.

Adverbien des Orts Где? Wo?

Здесь, тут (hier), там (dort), дома (zu Hause), далеко (fern, weit), внизу (unten), вверху (oben), сзади (hinten), слева (links), справа (rechts), впереди (vorne).

Adverbien der Richtung Куда? Wohin?

Сюда (hierher), туда (dorthin), домой (nach Hause), далеко (fern, weit), вниз (nach unten), вверх/наверх (nach oben), назад (nach hinten, zurück), налево (nach links), направо (nach rechts), вперёд (nach vorne).

Например:

Я здесь. Иди сюда. (Ich bin hier. Komm hierher.)

Она там. Иди туда. (Er ist dort. Geh dorthin.)

Он дома. Иди домой. (Er ist zu Hause. Geh nach Hause.)

Они внизу. Идите вниз. (Sie sind unten. Gehen Sie nach unten.)

Мы наверху. Идите наверх. (Wir sind oben. Gehen Sie nach oben.)

Я сзади. Иди назад. (Ich bin hinten. Geh nach hinten.)

Какие туры Вы можете предложить?

Welche Fahrten Sie anbieten können?

Слова

1. агентство - die Agentur
2. Африка - Afrika
3. бескрайний - grenzenlos
4. больше - größer, mehr
5. бояться - Angst haben
6. Бразилия - Brasilien
7. включён - inklusive
8. война - der Krieg
9. встречать - treffen
10. выбрать - wählen
11. говорить - sprechen

12. горный курорт - Urlaubsort in den Bergen
13. дикий - wild
14. доллар - der Dollar
15. древний - antik
16. Египет - Ägypten
17. ждать - warten
18. жена - die Ehefrau
19. животное - das Tier
20. звать - rufen
21. звезда - der Stern
22. звёздочка - kleiner Stern
23. Индия - Indien
24. какие - welche
25. карнавал - der Karneval
26. Кения - Kenia
27. курорт - das Urlaubsquartier
28. мёрзнуть - frieren
29. миллион - die Million
30. много - viele
31. национальный - national
32. небо - der Himmel
33. ночной - nächtlich
34. об - über
35. отвечать - antworten
36. отдых - der Urlaub
37. отель - das Hotel
38. первый - erste
39. пляж - der Strand
40. подходить - gefallen
41. поездка - der Ausflug
42. пользоваться - benutzen
43. превосходно - exzellent
44. предлагать - vorschlagen
45. преступность - das Verbrechen
46. приятно - angenehm
47. программа - das Programm
48. просто - einfach
49. пустыня - die Wüste
50. пятизвёздочный - fünf Sterne
51. раз - das Mal
52. рассказывать - erzählen
53. слон - der Elefant
54. сотрудник - der Angestellte
55. спрашивать - fragen
56. стоимость - der Wert, der Preis
57. страховка - die Versicherung
58. территория - das Gebiet
59. тогда - dann
60. трансфер - der Transfer
61. тур - die Tour, die Fahrt
62. туристический - touristisch
63. Турция - die Türkei
64. уже - schon
65. уровень преступности - Verbrechensrate
66. услуга - der Service
67. цена - der Preis
68. шестьсот - sechshundert
69. яхта - die Yacht

Мужчина и женщина заходят в туристическое агентство. Сотрудник агентства встречает их.
«Доброе утро,» говорит сотрудник.
«Доброе утро,» отвечают мужчина и женщина.
«Садитесь, пожалуйста,» говорит сотрудник.
«Спасибо,» говорит женщина. Мужчина и женщина садятся.
«Меня зовут Сандра,» говорит сотрудник агентства.
«Очень приятно. Меня зовут Элли,» отвечает женщина.
«Меня зовут Сэм,» говорит мужчина.
«Вы уже пользовались услугами нашего агентства?» спрашивает Сандра.
«Нет,» отвечает Элли. «Мы первый раз в Вашем агентстве. Скажите, пожалуйста, какие туры Вы можете предложить?»
«Мы можем предложить Вам тур в Индию,» говорит сотрудник. «Индия - это древние города, пляжи, экскурсии на слонах. Мы предлагаем туры с интересной программой отдыха на курортах. Вы можете выбрать отель

Ein Mann und eine Frau kommen in ein Reisebüro. Die Angestellte begrüßt sie.
„Guten Morgen“, sagt die Angestellte.
„Guten Morgen“, antworten der Mann und die Frau.
„Bitte, setzen Sie sich“, sagt die Angestellte.
„Danke“, sagt die Frau. Der Mann und die Frau setzen sich.
„Mein Name ist Sandra“, sagt die Reisebüro-Angestellte.
„Es ist nett, Sie kennenzulernen. Mein Name ist Ellie“, antwortet die Frau.
„Mein Name ist Sam“, sagt der Mann.
„Haben Sie schon einmal die Dienste unserer Agentur benutzt?“, fragt Sandra.
„Nein“, antwortet Ellie. „Wir sind zum ersten Mal in Ihrer Agentur. Sagen Sie bitte, welche Fahrten Sie anbieten können.“
„Wir können Ihnen eine Fahrt nach Indien anbieten“, sagt die Angestellte. „Indien bedeutet altertümliche Städte, Strände, Trekkingtouren mit Elefanten. Wir bieten Touren mit einem interessanten Programm an Urlaubsorten. Sie können ein Hotel mit drei, vier oder fünf Sternen wählen.“

три, четыре и пять звёздочек.»
«Очень интересно,» говорит Сэм.
«Нет. В Индии много бедных,» отвечает Элли. «Мы не хотим туда ехать.»
«Тогда мы можем предложить Вам тур в Египет,» говорит сотрудник.
«Прекрасный пятизвёздочный отель. Есть бассейн на территории отеля. Завтрак включён в цену. Стоимость начинается от шестисот долларов. В тур входит две экскурсии. Одна из них - это экскурсия на яхте. А другая - экскурсия в старый город. Страховка и проезд также включены в стоимость тура. Рядом нет бедных кварталов.»
«В Египте война,» говорит Элли. «Мы боимся туда ехать.»
«У нас есть туры в Турцию,» говорит Сандра. «Мы можем предложить Вам...»
«Нет, нет,» говорит жена. «Турция нам тоже не подходит.»
«Мы там были уже три раза,» говорит Сэм.
«Может, Вы хотите поехать на горный курорт?» спрашивает Сандра.
«Нет. Там холодно. Я не хочу мёрзнуть,» отвечает Элли. «Что Вы ещё можете предложить нам?»
«Мы можем предложить Вам тур в Бразилию,» говорит сотрудник.
«О да! И мы сможем посетить карнавал!» говорит Сэм.

„Sehr interessant", sagt Sam.
„Nein. Es gibt viele arme Menschen in Indien", antwortet Ellie. „ Dorthin wollen wir nicht fahren."
„Dann können wir eine Fahrt nach Ägypten anbieten", sagt die Angestellte. „Ein wunderbares Fünf-Sterne-Hotel. Dort gibt es ein Schwimmbad. Ein Frühstücksbuffet ist im Preis eingeschlossen. Die Preise beginnen bei $600. Die Fahrt beinhaltet zwei Ausflüge. Der Erste ist ein Yachtausflug. Und der andere ist eine Tour rund um die alte Stadt. Versicherung und Transport sind im Tourpreis ebenfalls eingeschlossen. Es gibt in der Nähe auch keine Armenviertel."
„In Ägypten gibt es Krieg", sagt Ellie. „Wir haben Angst, dorthin zu fahren."
„Wir haben auch Fahrten in die Türkei", sagt Sandra.
„Wir können Ihnen auch anbieten..."
„Nein, nein", sagt die Frau. „Die Türkei gefällt uns auch nicht."
„Wir sind dort schon dreimal dort gewesen", sagt Sam.
„Vielleicht möchten Sie zu einem Urlaubsort in den Bergen?", fragt Sandra.
„Nein. Dort ist es kalt. Ich möchte nicht frieren", sagt Ellie. „Was können Sie uns sonst noch anbieten?"
„Wir können Ihnen eine Fahrt nach Brasilien anbieten", sagt die Angestellte.
„Oh ja! Und wir können dort den

«Нет. В Бразилии высокий уровень преступности. Что-нибудь может случиться. И это очень дорого,» говорит Элли.
«Тогда я могу предложить Вам тур в Кению,» говорит Сандра. «Африка - это бескрайние пустыни и ночное небо с миллионом звёзд. Вы сможете посетить национальный парк с дикими животными. Вам может понравиться поездка на слонах.»
«Это просто превосходно!» говорит Сэм.
«Да, это интересно,» говорит Элли.
«Может быть, расскажете больше об этом туре?»

Karneval besuchen!“, sagt Sam.
„Nein. Es gibt eine hohe Verbrechensrate in Brasilien. Etwas könnte uns passieren. Und es ist sehr teuer“, sagt Ellie.
„Dann kann ich Ihnen eine Tour nach Kenia anbieten“, sagt Sandra. „Afrika bedeutet einsame Wüsten und einen Nachthimmel mit Millionen von Sternen. Sie können einen Nationalpark mit wilden Tieren besuchen. Vielleicht mögen Sie einen Ausflug auf Elefantenrücken.“
„Das ist einfach großartig!“, sagt Sam.
„Ja, das ist interessant“, sagt Ellie.
„Vielleicht können Sie uns mehr über diese Tour erzählen?“

Wochentage

Wochentage werden im Russischen, abgesehen vom Anfang des Satzes, klein geschrieben.
Bemerkung: die russische Woche beginnt mit Montag und endet mit Sonntag.
Понедельник (Montag) В понедельник мы идём на новую работу. Am Montag gehen wir zur neuen Arbeit.
Вторник (Dienstag) Во вторник я купила красивое платье. Am Dienstag habe ich ein schönes Kleid gekauft.
Среда (Mittwoch) В среду у него выходной. Er hat am Mittwoch frei.
Четверг (Donnerstag) В четверг она работает до шести часов. Sie arbeitet am Donnerstag bis 6 Uhr.
Пятница (Freitag) В пятницу мы пьём пиво. Am Freitag trinken wir Bier.

Суббота (Sonnabend) Каждую субботу они едут в Крым. Jeden Sonnabend fahren sie auf Krim.

Воскресенье (Sonntag) В воскресенье мы смотрели новый фильм. Am Sonntag haben wir einen neuen Film gesehen.

Verben der Bewegung

Идти (perfekt), ходить (imperfekt) - gehen

Он идёт в библиотеку. Er geht in die Bibliothek.

Он ходит каждые выходные в театр. Er geht jedes Wochenende ins Theater.

Ехать (perf.), ездить (imperf.) - fahren

Они едут в лес. Sie fahren in den Wald.

Они редко ездят в деревню к своей бабушке. Sie fahren selten zu ihrer Großmutter ins Dorf.

Лететь (perf.), летать (imperf.) - fliegen

Он сейчас летит в Москву. Er fliegt jetzt nach Moskau.

Он летает в Китай каждый год. Er fliegt nach China jedes Jahr.

Плыть (perf.), плавать (imperf.) - schwimmen

Она плывёт ко мне очень быстро. Sie schwimmt sehr schnell zu mir.

Она иногда плавает в нашем бассейне. Sie schwimmt manchmal in unserem Schwimmbad.

Бежать (perf.), бегать (imperf.) - laufen

Я бегу домой. Ich laufe nach Hause.

Я бегаю по утрам. Ich laufe morgens.

Мой ребёнок бегает с друзьями каждый день. Mein Kind läuft mit Freunden jeden Tag.

Нести (perf.), носить (imperf.) - tragen, bringen

Он несёт багаж в номер. Er trägt Gepäck ins Zimmer.

Вы носите ноутбук на работу? Tragen Sie ein Notebook zur Arbeit?

Вести (perf.), водить (imperf.) - führen, bringen

Мы ведём нашего ребёнка в театр. Wir nehmen unser Kind ins Theater.

Мы водим нашего сына в сад каждое утро. Wir bringen unseren Sohn jeden Morgen in den Kindergarten.

Везти (perf.), возить (imperf.) - fahren, bringen

Вы везёте эти картины домой? Bringen Sie diese Bilder nach Hause?

Вы возите картины в машине? Fahren Sie die Bilder mit dem Auto?

Русско-немецкий словарь

а - und
автобус - der Bus
автобусный - Bus- (Adj.)
автовокзал - der Busbahnhof
агентство - die Agentur
аккуратный - vorsichtig
американец - der Amerikaner
американка - die Amerikanerin
английский - englische
англичанин - der Engländer
англичанка - die Engländerin
Англия - England
аптека - das Geschäft
Африка - Afrika
аэропорт - der Flughafen
бабочка - der Schmetterling
бабушка - die alte Frau, die Oma
банк - die Bank
бар - die Bar
Барселона - Barcelona
бассейн - das Schwimmbad
бедный - arm
белый - weiß
бескрайний - grenzenlos
бесплатный - kostenlos
билет - die Fahrkarte
богатый - reich
более - mehr
болеть - krank sein, schmerzen
больше - größer, mehr
большой - groß
бояться - Angst haben
Бразилия - Brasilien
брать - nehmen
брошюра - der Prospekt
быстро - schnell
быстрый - schnelle
быть - sein
в - in, hinein
вагон - der Eisenbahnwagen
ванна - die Badewanne
ваш - euer, Ihr
вверх - hinauf
везти - fahren
велосипед - das Fahrrad
вернуться - zurückkehren
ветер - der Wind
вечер - der Abend
взять - nehmen
вид - das Aussehen
видеть - sehen
включён - inklusive
вместе - zusammen
вниз - hinunter
во - in, hinein
вода - das Wasser
водитель - der Fahrer
водить - fahren
возле - bei, am
война - der Krieg
вокзал - der Bahnhof
вокруг - um
восемь - acht
воскресенье - der Sonntag
вот - hier ist / sind
время - die Zeit
встретить - treffen
встречать - treffen
вторник - der Dienstag
второй - zweite
входить - betreten
Вы - ihr, Sie
выбор - die Auswahl
выбрать - wählen
выглядеть - aussehen
высокий - groß
высококачественный - hohe Qualität
выставка - die Ausstellung
выходить - ausgehen
галерея - die Galerie

где - wo
Германия - Deutschland
гид - der (die) Fremdenführer(in)
глядеть, смотреть - (an)sehen, schauen
говорить - sprechen
год - das Jahr
голова - der Kopf
горло - die Kehle
горный курорт - Urlaubsort in den Bergen
город - die Stadt
гостиница - das Hotel
гостиничный - hoteleigene
готовить - vorbereiten, kochen
грек - der Grieche
грязный - schmutzig
да - ja
давай - los; lasst uns
давать - geben
дать - geben
два - zwei
двенадцать - zwölf
дверь - die Tür
девочка - das Mädchen
девять - neun
дедушка - der alte Mann, der Opa
делать - machen
день - der Tag
деньги - das Geld
деревня - das Dorf
деревянный - hölzern, aus Holz
десять - zehn
дешёвый - billig
дикий - wild
диск - die CD
длинный - lang
для - für
до - bis, nach
добраться - erreichen
добрый - freundlich
дождь - der Regen
доктор - der Arzt
должен - müssen
доллар - der Dollar
дорога - der Weg, die Straße
дорогой - teuer
древний - antik
друг - der (die) Freund(in)
другой - anderer
думать - denken
душ - die Dusche
Египет - Ägypten
ездить - fahren
есть - essen; haben
ехать - fahren
ещё - noch; mehr
ж.д. - die Eisenbahn
ждать - warten
жена - die Ehefrau
женщина - die Frau
животное - das Tier
жить - wohnen, leben
журнал - die Zeitschrift
за - hinter
завтра - morgen
заказать - bestellen, buchen
звать - rufen
звезда - der Stern
звёздочка - kleiner Stern
звонить - anrufen
здесь - hier
знакомить - einführen, vorstellen
знать - wissen
зуб - der Zahn
и - und
игра - das Spiel
играть - spielen
идти - gehen
из - von
или - oder
Индия - Indien
интересно - interessant
интересный - interessant

интернет - das Internet
испанец - spanisch (adj.)
Испания - Spanien
испанка - die Spanerin
Италия - Italien
итальянец - der Italiener
итальянка - die Italienerin
к - zu
как - wie
какие - welche
какой - welcher
карнавал - der Karneval
карта - die (Land)karte
касса - die Kasse
кататься - fahren
кафе - das Café
квартал - der Wohnblock
Кения - Kenia
китаец - der Chinese
китаянка - die Chinesin
клавиатура - die Tastatur
ключ - der Schlüssel
книга - das Buch
компания - die Gesellschaft
компьютерный - in Bezug auf Computer
кондиционер - die Klimaanlage
конец - das Ende
конечная остановка - die Endstation
конечно - natürlich
корабль - das Schiff
который - welcher
кофе - der Kaffee
красиво, красивый - schön
кровать - das Bett
кто - wer
кто-нибудь - jemand
куда - wohin
купить - kaufen
курить - rauchen
курорт - das Urlaubsquartier
лекарство - das Medikament
лететь - fliegen
лечить - behandeln
ли - ob
лучший - das Beste
лыжи - der Ski
любовь - die Liebe
люди - die Leute
магазин - das Kaufhaus, das Geschäft
маленький - klein
мальчик - der Junge
маршрут - der Weg, die Route
медленно - langsam
международный - international
меню - die Speisekarte
мёрзнуть - frieren
мерить - messen
место - der Platz, der Sitz
месяц - der Monat
металлический - metallen
микроволновка - die Mikrowelle
миллион - die Million
мимо - vorbei, in der Nähe
минута - die Minute
много - viele
можно - möglich, können, dürfen
мой - mein
молодой - jung
молочный бар - die Milchbar
монитор - der Monitor
мост - die Brücke
мужчина - der Mann
музей - das Museum
мы - wir
мышка - die Maus
на - auf
наверное - wahrscheinlich
над - über
назад - zurück
найти - finden
налево/слева - links
написано - geschrieben
направо/справа - rechts

напротив - gegenüber, auf der anderen Seite
научить - lehren, beibringen
находиться - (dort) sein, sich befinden
национальный - national
наш - unser
не - nicht
небо - der Himmel
неделя - die Woche
недовольно - unglücklich
недовольный - unbefriedigt, unzufrieden
немец - der Deutsche
немка - die Deutsche
немного - etwas
несколько - einige
нести - tragen
нет - nein; gibt es nicht
низкий - niedrig
низкокачественный - niedrige Qualität
но - aber
новости - die Nachrichten
новый - neu
номер - die Nummer (der Wohnung, des Telefons)
ночной - nächtlich
ночь - die Nacht
нравиться - mögen
нужен, нужный - notwendig, müssen
о - über, von
об - über
обед - der Mittag, dass Mittagessen
обойти - herumgehen
обслуживать - bedienen
общественный - öffentlich
одежда - die Kleider
одеть / носить - tragen (Kleidung)
одиннадцать - elf
окно - das Fenster
он - er
она - sie (Sing.)
они - sie
оно - es
остановка - die Haltestelle
от - von
отвечать - antworten
отдых - der Urlaub
отель - das Hotel
откуда - von wo, woher
отправляться - losfahren, beginnen
официант - der Kellner
очень - sehr
парикмахерская - der Friseur
парк - der Park
певица - die Sängerin
пение - der Gesang
первый - erste
петь - singen
пешком - zu Fuß
писатель - der Autor, der Schriftsteller
писать - schreiben
письмо - der Brief
пить - trinken
пицца - die Pizza
планировать - vorhaben
пластиковый - der Kunststoff
платить - bezahlen
платье - das Kleid
плохой - schlimm, schlecht
площадь - der Platz
пляж - der Strand
по - von
повар - der Koch
повернуть - einbiegen
погода - das Wetter
под - unter
подняться - hinaufgehen
подсказать - einen Hinweis geben
подходить - gefallen
поезд - der Zug
поездка - der Ausflug
пожалуйста - bitte
пойти - gehen

покупатель - der Käufer
покупать - kaufen
полка - das Regal
пользоваться - benutzen
помогать - helfen
помочь - helfen
понедельник - der Montag
понимать - verstehen
попасть - erreichen
посетить - besuchen
после - nach
послезавтра - übermorgen
потом - danach
потому-что - weil
почему - warum
прачечная - die Wäscherei
превосходно - exzellent
предлагать - vorschlagen
преподаватель - der Lehrer
преподавать - lehren
преступность - das Verbrechen
приветливо - freundlich
приветливый - freundlich
привлекательный - attraktiv
пригород - der Vorort
примерить - anprobieren
приходить - kommen
приятно - angenehm
пробовать - versuchen
программа - das Programm
продавать - verkaufen
продаваться - verkauft werden
продавец - der Verkäufer
продукты - die Nahrung, das Lebensmittel
просто - einfach
профессия - der Beruf
прямо - geradeaus
пустыня - die Wüste
пятизвёздочный - fünf Sterne
пятница - der Freitag
пять - fünf
работать - arbeiten
раз - das Mal
размер - die Größe
рассказывать - erzählen
река - der Fluss
ремонтировать - reparieren
ремонтник - der Handwerker
ресторан - das Restaurant
Рим - Rom
руководитель - der Manager
руководить - verwalten
русский - russische
ручка - der Handgriff, der Kugelschreiber
рядом - in der Nähe
с - mit
сервис - der Service
садиться - sich setzen
самолёт - das Flugzeug
сауна - die Sauna
свой - eigenes,-e,-er
сегодня - heute
сейчас - jetzt.
семь - sieben
сердито, сердитый - verärgert
серьёзно - ernsthaft
серьёзный - ernst
сесть - sich setzen
сильный - stark
сим-карта - die SIM-Karte
сказать - sagen
сколько - wie viel, wie viele
скучно, скучный - langweilig
следующий - nächste
слон - der Elefant
случиться - passieren
слышать - hören
смотреть - beobachten
СМС - die SMS
сноуборд - das Snowboard
собираться - *für geplante persönliche Ereignisse*

собор - die Kathedrale
солнце - die Sonne
сотрудник - der Angestellte
спагетти - die Spaghetti
спасибо - danke
спектакль - die Show
спортсмен - der Sportler
спрашивать, спросить - fragen
среда - der Mittwoch
стадион - das Stadion
станция - der Bahnhof
старый - alt
стоимость - der Wert, der Preis
стоить - kosten
стол - der Tisch
столик - der Beistelltisch
стоматолог - der Zahnarzt
стоять - stehen
страховка - die Versicherung
стройный - schlank
строитель - der Bauarbeiter
строить - bauen
стул - der Stuhl
суббота - der Samstag
сувенир - das Souvenir
сумка - das Portmonee, die Tasche
счастливо - glücklich
та - jene
так - so
также, тоже - auch
такси - das Taxi
там - dort
твой - dein
театр - das Theater
телевизор - das Fernseher
телефон - das Telefon
тепло - warm
территория - das Gebiet
тогда - dann
тот - jener
трамвай - die Straßenbahn
транспорт - der Transport
трансфер - der Transfer
тренажёрный зал - der Fitnessraum
третий - dritter
три - drei
троллейбус - der Elektrobus
туалет - die Toilette, das Badezimmer
туда - dorthin
тур - die Tour, die Fahrt
турист - der (die) Tourist(in)
туристический - touristisch
Турция - die Türkei
ты - du
тяжёлый - schwer
у - bei
угощать - jemanden zu etwas einladen
удобно, удобный - bequem
уже - schon
улица - die Straße
уметь - können
умный - intelligent
уровень преступности - Verbrechensrate
урок - die Lektion
услуга - der Service
утро - der Morgen
учиться - lernen
фильм - der Film
флэшка - der Speicherstick
фотоаппарат - die Kamera
фотографировать - ein Foto machen
француженка - die Französin
француз - der Franzose
фрукты - das Obst
футбол - das Fußball(spiel)
хвост - das Ende, der Schwanz
ходить - (zu Fuß) gehen
холодильник - der Kühlschrank
холодно - kalt
хороший, хорошо - gut
хотеть - wollen
художественный - künstlerisch
цена - der Preis

центр - das Zentrum
центральный - zentral
церковь - die Kirche
час - die Stunde
часы - die Uhr
чей - wessen
чемодан - der Koffer
через - durch, in
четверг - der Donnerstag
четыре - vier
чистый - sauber
читать - lesen
что - was
шесть - sechs
шестьсот - sechshundert
широкий - breit
экскурсия - der Ausflug
эта - diese
этаж - die Etage
эти / те - diese / jene
это - das, es, dies
этот / тот - dieser / jener
я - ich
яблоко - der Apfel
язык - die Sprache
японец - der Japaner
яхта - die Yacht

Немецко-русский словарь

Abend, der - вечер
aber - но
acht - восемь
Afrika - Африка
Agentur, die - агентство
Ägypten - Египет
alt - старый
alte Frau, die; die Oma - бабушка
alte Mann, der; der Opa - дедушка
Amerikaner, der - американец
Amerikanerin, die - американка
anderer - другой
angenehm - приятно
Angestellte, der - сотрудник
Angst haben - бояться
anprobieren - примерить
anrufen - звонить
antik - древний
antworten - отвечать
Apfel, der - яблоко
arbeiten - работать
arm - бедный
Arzt, der - доктор
attraktiv - привлекательный
auch - также, тоже
auf - на
Ausflug, der - поездка, экскурсия
ausgehen - выходить
aussehen - выглядеть
Aussehen, das - вид
Ausstellung, die - выставка
Auswahl, die - выбор
Autor, der ; der Schriftsteller - писатель
Badewanne, die - ванна
Bahnhof, der - вокзал, станция
Bank, die - банк
Bar, die - бар
Barcelona - Барселона
Bauarbeiter, der - строитель
bauen - строить
bedienen - обслуживать
behandeln - лечить
bei, am - у, возле
Beistelltisch, der - столик
benutzen - пользоваться
beobachten - смотреть
bequem - удобно, удобный
Beruf, der - профессия
Beste, das - лучший
bestellen, buchen - заказать
besuchen - посетить
betreten - входить
Bett, das - кровать
bezahlen - платить
billig - дешёвый
bis, nach - до
bitte - пожалуйста
Brasilien - Бразилия
breit - широкий
Brief, der - письмо
Brücke, die - мост
Buch, das - книга
Bus - (Adj.) - автобусный
Bus, der - автобус
Busbahnhof, der - автовокзал
Café, das - кафе
Chinese, der - китаец
Chinesin, die - китаянка
danach - потом
danke - спасибо
dann - тогда
das, es, dies - это
dein - твой
denken - думать
Deutsche, der - немец
Deutsche, die - немка
Deutschland - Германия
Dienstag, der - вторник
diese - эта

diese / jene - эти / те
dieser / jener - этот / тот
Dollar, der - доллар
Donnerstag, der - четверг
Dorf, das - деревня
dort - там
dorthin - туда
drei - три
dritter - третий
du - ты
durch, in - через
Dusche, die - душ
Ehefrau, die - жена
eigenes, -e, -er - свой
ein Foto machen - фотографировать
einbiegen - повернуть
einen Hinweis geben - подсказать
einfach - просто
einführen, vorstellen - знакомить
einige - несколько
Eisenbahn, die - ж.д.
Eisenbahnwagen, der - вагон
Elefant, der - слон
Elektrobus, der - троллейбус
elf - одиннадцать
Ende, das - конец
Ende, das, der Schwanz - хвост
Endstation, die - конечная остановка
England - Англия
Engländer, der - англичанин
Engländerin, die - англичанка
englische - английский
er - он
ernst - серьёзный
ernsthaft - серьёзно
erreichen - добраться, попасть
erste - первый
erzählen - рассказывать
es - оно
essen; haben - есть
Etage, die - этаж
etwas - немного
euer, Ihr - ваш
exzellent - превосходно
fahren - везти, водить, ездить, ехать, кататься
Fahrer, der - водитель
Fahrkarte, die - билет
Fahrrad, das - велосипед
Fenster, das - окно
Fernseher, das - телевизор
Film, der - фильм
finden - найти
Fitnessraum, der - тренажёрный зал
fliegen - лететь
Flughafen, der - аэропорт
Flugzeug, das - самолёт
Fluss, der - река
fragen - спрашивать, спросить
Franzose, der - француз
Französin, die - француженка
Frau, die - женщина
Freitag, der - пятница
Fremdenführer(in), der (die) - гид
Freund(in), der (die) - друг
freundlich - добрый, приветливо, приветливый
frieren - мёрзнуть
Friseur, der - парикмахерская
fünf - пять
fünf Sterne - пятизвёздочный
für - для
Fußball, das (spiel) - футбол
Galerie, die - галерея
geben - давать, дать
Gebiet, das - территория
gefallen - подходить
gegenüber, auf der anderen Seite - напротив
gehen - идти, пойти
gehen (zu Fuß) - ходить, идти
Geld, das - деньги
geradeaus - прямо
Gesang, der - пение

Geschäft, das - аптека
geschrieben - написано
Gesellschaft, die - компания
glücklich - счастливо
grenzenlos - бескрайний
Grieche, der - грек
groß - большой, высокий
Größe, die - размер
größer, mehr - больше
gut - хороший, хорошо
Haltestelle, die - остановка
Handgriff, der ; der Kugelschreiber - ручка
Handwerker, der - ремонтник
helfen - помогать, помочь
herumgehen - обойти
heute - сегодня
hier - здесь
hier ist / sind - вот
Himmel, der - небо
hinauf - вверх
hinaufgehen - подняться
hinter - за
hinunter - вниз
hohe Qualität - высококачественный
hölzern, aus Holz - деревянный
hören - слышать
Hotel, das - гостиница, отель
hoteleigene - гостиничный
ich - я
ihr, Sie - Вы
in Bezug auf Computer - компьютерный
in der Nähe - рядом
in, hinein - в, во
Indien - Индия
inklusive - включён
intelligent - умный
interessant - интересно, интересный
international - международный
Internet, das - интернет
Italien - Италия
Italiener, der - итальянец
Italienerin, die - итальянка
ja - да
Jahr, das - год
Japaner, der - японец
jemand - кто-нибудь
jemanden zu etwas einladen - угощать
jene - та
jener - тот
jetzt. - сейчас
jung - молодой
Junge, der - мальчик
Kaffee, der - кофе
kalt - холодно
Kamera, die - фотоаппарат
Karneval, der - карнавал
Kasse, die - касса
Kathedrale, die - собор
kaufen - купить, покупать
Käufer, der - покупатель
Kaufhaus, das ; das Geschäft - магазин
Kehle, die - горло
Kellner, der - официант
Kenia - Кения
Kirche, die - церковь
Kleid, das - платье
Kleider, die - одежда
klein - маленький
kleiner Stern - звёздочка
Klimaanlage, die - кондиционер
Koch, der - повар
Koffer, der - чемодан
kommen - приходить
können - уметь
Kopf, der - голова
kosten - стоить
kostenlos - бесплатный
krank sein, schmerzen - болеть
Krieg, der - война
Kühlschrank, der - холодильник
künstlerisch - художественный
Kunststoff, der - пластиковый

Landkarte, die - карта
lang - длинный
langsam - медленно
langweilig - скучно, скучный
lehren, beibringen - преподавать, научить
Lehrer, der - преподаватель
Lektion, die - урок
lernen - учиться
lesen - читать
Leute, die - люди
Liebe, die - любовь
links - налево/слева
los; lasst uns - давай
losfahren, beginnen - отправляться
machen - делать
Mädchen, das - девочка
Mal, das - раз
Manager, der - руководитель
Mann, der - мужчина
Maus, die - мышка
Medikament, das - лекарство
mehr - более
mein - мой
messen - мерить
metallen - металлический
Mikrowelle, die - микроволновка
Milchbar, die - молочный бар
Million, die - миллион
Minute, die - минута
mit - с
Mittag, der; dass Mittagessen - обед
Mittwoch, der - среда
mögen - нравиться
möglich, können, dürfen - можно
Monat, der - месяц
Monitor, der - монитор
Montag, der - понедельник
morgen - завтра
Morgen, der - утро
Museum, das - музей
müssen - должен
nach - после
Nachrichten, die - новости
nächste - следующий
Nacht, die - ночь
nächtlich - ночной
Nahrung, die; das Lebensmittel - продукты
national - национальный
natürlich - конечно
nehmen - брать, взять
nein; gibt es nicht - нет
neu - новый
neun - девять
nicht - не
niedrig - низкий
niedrige Qualität - низкокачественный
noch; mehr - ещё
notwendig, müssen - нужно, нужен, нужный
Nummer, die (der Wohnung, des Telefons) - номер
ob - ли
Obst, das - фрукты
oder - или
öffentlich - общественный
Park, der - парк
passieren - случиться
Pizza, die - пицца
Platz, der; der Sitz - место, площадь
Portmonee, das; die Tasche - сумка
Preis, der - цена
Programm, das - программа
Prospekt, der - брошюра
rauchen - курить
rechts - направо/справа
Regal, das - полка
Regen, der - дождь
reich - богатый
reparieren - ремонтировать
Restaurant, das - ресторан
Rom - Рим

rufen - звать
russische - русский
sagen - сказать
Samstag, der - суббота
Sängerin, die - певица
sauber - чистый
Sauna, die - сауна
Schiff, das - корабль
schlank - стройный
schlimm, schlecht - плохой
Schlüssel, der - ключ
Schmetterling, der - бабочка
schmutzig - грязный
schnell - быстро
schnelle - быстрый
schön - красиво, красивый
schon - уже
schreiben - писать
schwer - тяжёлый
Schwimmbad, das - бассейн
sechs - шесть
sechshundert - шестьсот
sehen - видеть
sehen, schauen - глядеть, смотреть
sehr - очень
sein, sich befinden – быть, находиться
Service, der - сервис, услуга
Show, die - спектакль
sich setzen - садиться, сесть
sie - они
sie (Sing.) - она
sieben - семь
SIM-Karte, die - сим-карта
singen - петь
Ski, der - лыжи
SMS, die - СМС
Snowboard, das - сноуборд
so - так
Sonne, die - солнце
Sonntag, der - воскресенье
Souvenir, das - сувенир
Spaghetti, die - спагетти
Spanerin, die - испанка
Spanien - Испания
spanisch (adj.) - испанец
Speicherstick, der - флэшка
Speisekarte, die - меню
Spiel, das - игра
spielen - играть
Sportler, der - спортсмен
Sprache, die - язык
sprechen - говорить
Stadion, das - стадион
Stadt, die - город
stark - сильный
stehen - стоять
Stern, der - звезда
Strand, der - пляж
Straße, die - улица, дорога
Straßenbahn, die - трамвай
Stuhl, der - стул
Stunde, die - час
Tag, der - день
Tastatur, die - клавиатура
Taxi, das - такси
Telefon, das - телефон
teuer - дорогой
Theater, das - театр
Tier, das - животное
Tisch, der - стол
Toilette, die; das Badezimmer - туалет
Tour, die; die Fahrt - тур
Tourist(in), der (die) - турист
touristisch - туристический
tragen - нести
tragen (Kleidung) - одеть / носить
Transfer, der - трансфер
Transport, der - транспорт
treffen - встретить, встречать
trinken - пить
Tür, die - дверь
Türkei, die - Турция
über, von - над, о, об

übermorgen - послезавтра
Uhr, die - часы
um - вокруг
unbefriedigt, unzufrieden - недовольный
und - а, и
unglücklich - недовольно
unser - наш
unter - под
Urlaub, der - отдых
Urlaubsort in den Bergen - горный курорт
Urlaubsquartier, das - курорт
verärgert - сердито, сердитый
Verbrechen, das - преступность
Verbrechensrate - уровень преступности
verkaufen - продавать
Verkäufer, der - продавец
verkauft werden - продаваться
Versicherung, die - страховка
verstehen - понимать
versuchen - пробовать
verwalten - руководить
viele - много
vier - четыре
von - из, от, по
von wo, woher - откуда
vorbei, in der Nähe - мимо
vorbereiten, kochen - готовить
vorhaben - планировать
Vorort, der - пригород
vorschlagen - предлагать
vorsichtig - аккуратный
wählen - выбрать
wahrscheinlich - наверное
warm - тепло
warten - ждать
warum - почему
was - что
Wäscherei, die - прачечная
Wasser, das - вода
Weg, der; die Route - путь, маршрут
weil - потому-что
weiß - белый
welche - какие
welcher - который, какой
wer - кто
Wert, der; der Preis - стоимость
wessen - чей
Wetter, das - погода
wie - как
wie viel, wie viele - сколько
wild - дикий
Wind, der - ветер
wir - мы
wissen - знать
wo - где
Woche, die - неделя
wohin - куда
Wohnblock, der - квартал
wohnen, leben - жить
wollen - хотеть
Wüste, die - пустыня
Yacht, die - яхта
Zahn, der - зуб
Zahnarzt, der - стоматолог
zehn - десять
Zeit, die - время
Zeitschrift, die - журнал
zentral - центральный
Zentrum, das - центр
zu - к
zu Fuß - пешком
Zug, der - поезд
zurück - назад
zurückkehren - вернуться
zusammen - вместе
zwei - два
zweite - второй
zwölf - двенадцать

Die 1300 wichtigen russischen Wörter

Дни недели - Tage der Woche

воскресенье - Der Sonntag

понедельник - Der Montag

вторник - Der Dienstag

среда - Der Mittwoch

четверг - Der Donnerstag

пятница - Der Freitag

суббота - Der Samstag

неделя - Die Woche

день - Der Tag

ночь - Die Nacht

сегодня - heute

вчера - gestern

завтра - morgen

утро - Der Morgen

вечер - Der Abend

Месяцы - Die Monate

январь - Der Januar

февраль - Der Februar

март - Der März

апрель - Der April

май - Der Mai

июнь - Der Juni

июль - Der Juli

август - Der August

сентябрь - Der September

октябрь - Der Oktober

ноябрь - Der November

декабрь - Der Dezember

Сезоны года - Die Jahreszeiten

зима - Der Winter

весна - Der Frühling

лето - Der Sommer

осень - Der Herbst

Семья - Die Familie

тётя - Die Tante

брат - Der Bruder

дети - Die Kinder

папа - Der Papa

дочь - Die Tochter

семья - Die Familie

отец - Der Vater

внучка - Die Enkelin

дедушка - Der Großvater

бабушка - Die Oma

дедушка и бабушка - Die Großeltern

внук - Der Enkel

прадедушка - Der Urgroßvater

прабабушка - Die Urgroßmutter

мама - Die Mutter

племянник - Der Neffe

племянница - Die Nichte

родители - Die Eltern

сестра - Die Schwester

сын - Der Sohn

дядя - Der Onkel

Внешность и качества - Aussehen und Qualitäten

активный - aktiv

лысый - kahl

характер - Der Charakter

умный - klug

внимательный - rücksichtsvoll

творческий - kreativ

жестокий - grausam

кудрявый - lockig

энергичный - energetisch

толстый - fett

щедрый - großzügig

жадный - gierig

волосатый - behaart

красивый - gut aussehend

добрый - freundlich

женатый, замужняя - verheiratet

старый - alt

полный - rundlich

вежливый - höflich

бедный, малоимущий - arm

красивая - ziemlich

богатый, состоятельный - reich

грубый - unhöflich

невысокий - kurz

холостяк, незамужняя - einzig

тощий - dünn

стройный - schlank

невьющийся, прямой - gerade

сильный - stark

глупый - blöd

тактичный - taktvoll

талантливый - talentiert

высокий - hoch

худой - dünn

уродливый - hässlich

злой - unfreundlich

слабый - schwach

молодой - jung

Эмоции - Emotionen

скучающий - gelangweilt

самоуверенный - zuversichtlich

довольный - zufrieden

любопытный - neugierig

восторженный - begeistert

эмоция - Die Emotion

взволнованный - aufgeregt

бестолковый, глупый - doof

счастливый - glücklich

надеющийся - hoffend

голодный - hungrig

одинокий - einsam

неудачный - spitzbübisch

нервный - nervös

обиженный - beleidigt

грустный, печальный - traurig

испуганный - erschrocken

в шоке - schockiert

сонный - schläfrig

удивлённый - überrascht

испытывающий жажду - durstig

уставший - müde

Одежда - Kleider

куртка с капюшоном - Der Anorak

ремень - Der Gürtel

блузка - Die Bluse

ботинки - Der Stiefel

браслет - Das Armband

кепка - Die Kappe

шерстяная кофта - Die Strickjacke

одежда - Die Kleider

пальто - Der Mantel

платье - Das Kleid

серёжка - Der Ohrring

шуба - Der Pelzmantel

очки - Die Brille

перчатка - Der Handschuh

шляпа - Der Hut

куртка - Die Jacke

джинсы - Die Jeans

вязаный свитер - Das Trikot

колье - Die Halskette

ночнушка - Das Nachthemd

пижама - Der Pyjama

плащ - Die Regenjacke

кольцо - Der Ring

сандалии - Die Sandalen

шарф - Der Schal

рубашка - Das Hemd

туфли - Die Schuhe

шорты - Die kurze Hose

юбка - Der Rock

тапочки - Die Hausschuhe

кроссовки - Die Turnschuhe

носки - Die Socken

чулки - Die Strümpfe

костюм - Der Anzug

свитер - Das Sweatshirt

купальник - Der Badeanzug

галстук - Die Krawatte

колготки - Die Strumpfhose

спортивный костюм - Der Trainingsanzug

брюки - Die Hose

футболка - Das T-Shirt

зонт - Der Regenschirm

штаны - Die Hose

часы - Die Uhr

Дом и мебель - Haus und Möbel

будильник - Der Wecker

квартира - Die Wohnung

балкон - Der Balkon

ванная комната - Das Badezimmer

кровать, постель - Das Bett

спальня - Das Schlafzimmer

постельное покрывало - Die Tagesdecke

скамья, лавка - Die Bank

одеяло - Die Decke

книжный шкаф - Das Bücherregal

ковёр - Der Teppich

шкатулка - Die Schatulle

стул; кресло - Der Sessel

шкаф - Der Wandschrank

буфет, сервант - Der Schrank

занавеска - Der Vorhang

рабочий стол - Der Schreibtisch

столовая - Das Esszimmer

дверь - Die Tür

дверной звонок - Die Türklingel

нижний этаж - unten

мебель - Die Möbel

гараж - Die Garage

зал - Der Flur

коридор - Der Korridor

дом - Das Haus

интерьер - Das Innere

кухня - Die Küche

лампа, светильник - Die Lampe

гостиная - Das Wohnzimmer

почтовый ящик - Der Briefkasten

матрац - Die Matratze

зеркало - Der Spiegel

тумбочка - Der Nachttisch

картина; рисунок - Das Bild

подушка - Das Kissen

наволочка - Der Kissenbezug

крыша, кровля - Das Dach

комната; помещение - Das Zimmer

сейф - Der Safe

простыня - Das Blatt

полка - Das Regal

душ - Die Dusche

диван - Das Sofa

лестница - Die Treppe

табурет - Der Schemel

стол - Die Tabelle

туалет, унитаз - Die Toilette

верхний этаж - nach oben

окно - Das Fenster

Кухня - Die Küche

конфорка - Der Brenner

шкаф с ящиками - Der Küchenschrank

контейнер - Der Kanister

стул - Der Sessel

книга с рецептами - Das Kochbuch

посудомоечная машина - Der Geschirrspüler

водопроводный кран - Der Wasserhahn

морозильная камера - Der Gefrierschrank

кухня - Die Küche

кухонная посуда - Das Geschirr

микроволновая печь - Die Mikrowelle

духовка - Der Ofen

холодильник - Der Kühlschrank

раковина - Das Waschbecken

губка - Der Schwamm

печь, печка - Der Herd

стол - Die Tabelle

тостер - Der Toaster

полотенце - Das Handtuch

Посуда - Das Geschirr

бутылка - Die Flasche

миска - Die Schüssel

кофейник - Die Kaffeetasse

чашка - Die Tasse

вилка - Die Gabel

сковорода - Die Bratpfanne

стакан - Das Glas

кувшин - Der Krug

чайник - Der Kessel

нож - Das Messer

крышка - Der Deckel

кружка - Der Becher

салфетка - Die Serviette

кастрюля - Die Pfanne

перечница - Der Pfefferstreuer

тарелка - Der Teller

солонка - Der Salzstreuer

кастрюля для соуса - Der Kochtopf

ложка - Der Löffel

сахарница - Die Zuckerschüssel

посуда - Das Geschirr

чайник для заварки - Die Teekanne

Еда - Essen

выпеченный - gebacken

фасоль - Die Bohne

говядина - Das Rindfleisch

горький - bitter

хлеб - Das Brot

масло - Die Butter

торт - Der Kuchen

конфета - Die Süßigkeiten

икра - Der Kaviar

сыр - Der Käse

цыплёнок - Das Hähnchen

шоколад - Die Schokolade

коктейль - Der Cocktail

какао - Der Kakao

кофе - Der Kaffee

печенье - Das Plätzchen

круассан - Das Croissant

котлета - Das Kotelett

яйцо - Das Ei

рыба - Der Fisch

мука - Das Mehl

еда - Das Lebensmittel

жареный - gebraten

фрукты - Die Frucht

ветчина - Der Schinken

мороженое - Das Eis

варенье; джем - Die Marmelade

желе - Das Gelee
сок - Der Saft
кетчуп - Der Ketchup
макароны - Die Makkaroni
майонез - Die Mayonnaise
мясо - Das Fleisch
молоко - Die Milch
блин, оладья - Der Pfannkuchen
вермишель - Die Pasta
перец - Der Pfeffer
пирог - Der Kuchen
пицца - Die Pizza
свинина - Das Schweinefleisch
каша - Der Haferbrei
картофель - Die Kartoffel
рис - Der Reis
салат - Der Salat
соль - Das Salz
солёный - gesalzen
бутерброд - Das Sandwich
соус - Die Soße
колбаса, сосиска - Die Wurst
суп - Die Suppe
кислый - sauer
специя, пряность - würzen
бифштекс, стейк - Das Steak
сахар - Der Zucker
сладкий - süß
чай - Der Tee
овощи - Das Gemüse

Мясо и рыба - Fleisch und Fisch

мясо - Das Fleisch
говядина - Das Rindfleisch
ягнёнок - Das Lamm
баранина - Das Hammelfleisch
свинина - Das Schweinefleisch
телятина - Das Kalbfleisch
оленина - Das Wild
бекон - Der Speck
ветчина - Der Schinken
печёнка - Die Leber
почки - Die Nieren
домашняя птица - Das Geflügel
курица - Das Hähnchen
индейка - Der Truthahn
утка - Die Ente
гусь - Die Gans
рыба - Der Fisch
треска - Der Kabeljau
форель - Die Forelle
лосось - Der Lachs
хек - Der Seehecht
камбала - Die Scholle
скумбрия - Die Makrele
сардина - Die Sardine
селёдка - Der Hering
морепродукты - Die Meeresfrüchte
креветка - Die Garnele

мелкая креветка - Die Garnele

мидия - Die Muschel

устрица - Die Auster

омар - Der Hummer

кальмар - Der Tintenfisch

краб - Die Krabbe

Фрукты - Die Frucht

яблоко - Der Apfel

абрикос - Die Aprikose

банан - Die Banane

фрукт - Die Frucht

виноград - Die Traube

грейпфрут - Die Grapefruit

киви - Die Kiwi

лимон - Die Zitrone

лайм - Die Limette

манго - Die Mango

дыня - Die Melone

персик - Der Pfirsich

груша - Die Birne

ананас - Die Ananas

слива - Die Pflaume

Овощи - Das Gemüse

бобы - Die Bohnen

свекла - Die Zuckerrüben

капуста - Der Kohl

морковь - Die Karotte

сельдерей - Der Sellerie

огурец - Die Gurke

укроп - Der Dill

баклажан - Die Aubergine

чеснок - Der Knoblauch

лук - Die Zwiebel

петрушка - Die Petersilie

горох - Die Erbse

перец - Der Pfeffer

картофель - Die Kartoffel

тыква - Der Kürbis

редис - Der Rettich

помидор - Die Tomate

овощ - Das Gemüse

Напитки - Die Getränke

алкоголь, спирт - Alkohol

алкогольный напиток - alkoholisches Getränk

пиво - Das Bier

напиток - Das Getränk

коктейль - Der Cocktail

какао - Der Kakao

кофе - Der Kaffee

пить, алкогольный напиток - Das Getränk

фруктовый сок - Der Fruchtsaft

холодный чай - Der Eistee

сок - Der Saft

лимонад - Die Limonade

молоко - Die Milch

молочный коктейль - Der Milchshake

апельсиновый сок - Der Orangensaft

безалкогольный напиток - Das alkoholfreie Getränk

чай - Der Tee

томатный сок - Der Tomatensaft

овощной сок - Der Gemüsesaft

вода - Das Wasser

вино - Der Wein

Приготовление еды (готовка) - Das Kochen

добавлять - hinzufügen

печь, выпекать - backen

отбивать - schlagen

варить - kochen

рубить - hacken

повар - kochen

кулинария, готовка - kochend

жарить - braten

тереть на тёрке - reiben

жарить на рашпере - grillen

плавить - schmelzen

крошить - zerkleinern

смешивать - mischen

снимать кожуру - schälen

наливать - gießen

прожаривание - braten

просеивать - sieben

тушить - kochen

резать ломтиками - schneiden

помешивать - rühren

мыть - waschen

взвешивать - wiegen

сбивать - verquirlen

Уборка - Der Haushalt

проветривать - Die Luft

отбеливатель - bleichen

веник - Der Besen

ведро - Der Eimer

моющее средство - Das Reinigungsmittel

прищепка - Die Wäscheklammer

грязь - Der Schmutz

пыль, вытирать пыль - Der Staub

совок для мусора - Die Schaufel

опустошать, вытряхивать - leer

мусор, отбросы - Der Müll

уборка - Die Haushaltung

утюг, утюжить - Das Bügeleisen

гладильная доска - Das Bügelbrett

стирка - Die Wäsche

стиральный порошок - Das Waschmittel

швабра с тряпкой - Der Mopp

тряпка - Der Lappen

губка - Der Schwamm

подметать, мести - fegen

мусорное ведро - Der Mülleimer

пылесос - Der Staubsauger

протирать, мыть - wischen

Уход за телом - Die Körperpflege

уход - Die Pflege

одеколон - Das Eau de Cologne

расчёска - Der Kamm

зубная нить - Die Zahnseide

дезодорант - Das Deodorant

фен - Der Ventilator

освежитель - Das Erfrischungsmittel

шпилька (для волос) - Die Haarnadel

корзина с крышкой - Der Korb

гигиена - Die Hygiene

губная помада - Der Lippenstift

тушь для ресниц - Die Wimperntusche

зеркало - Der Spiegel

жидкость для полоскания рта - Das Mundwasser

лак для ногтей - Die Nagelpolitur

духи - Das Parfüm

бритва - Der Rasierer

весы - Die Waage

ножницы - Die Schere

шампунь - Das Shampoo

крем для бритья - Der Rasierschaum

душ - Die Dusche

раковина - Das Waschbecken

мыло - Die Seife

мочалка - Der Schwamm

унитаз, туалет - Die Toilette

зубная щётка - Die Zahnbürste

зубная паста - Die Zahnpasta

полотенце - Das Handtuch

пинцет, щипчики - Die Pinzette

Погода - Das Wetter

лёгкий ветерок - Die Brise

ясный, погожий - hell

холодный - frostig

облачный - bewölkt

холод, холодный - kalt

прохладный - kühl

туман - Der Nebel

туманный - neblig

морозный - eisig

град - Der Hagel

жара - Die Hitze

жаркий - heiß

молния - Der Blitz

лёгкий туман - Der Nebel

дождь - Der Regen

дождливый - regnerisch

ливень - Der Regenschauer

снег - Der Schnee

солнечный - sonnig

температура - Die Temperatur

погода - Das Wetter

ветер - Der Wind

ветреный - windig

Транспорт - Der Transport

самолёт - Da**s** Flugzeug

машина скорой помощи - Der Krankenwagen

велосипед - Das Fahrrad

лодка, шлюпка - Das Boot

автобус - Der Bus

автомобиль - Das Auto

вертолёт - Der Hubschrauber

мотоцикл - Das Motorrad

полицейский автомобиль - Das Polizeiauto

дорога, шоссе - Die Straße

парусник - Das Segelboot

скутер - Der Roller

корабль - Das Schiff

улица - Die Straße

светофор - Die Ampel

поезд - Der Zug

трамвай - Die Tram

транспорт - Der Transport

грузовой автомобиль - Der LKW

фургон - Der Van

Город - Die Stadt

аллея - Die Gasse

район - Der Bereich

проспект - Die Allee

булочная, пекарня - Die Bäckerei

банк - Die Bank

бар - Die Bar

бассейн - Die Badeanstalt

скамья - Die Bank

книжный магазин - Die Buchhandlung

мост; мостик - Die Brücke

здание, строение - Das Gebäude

автобусная остановка - Die Bushaltestelle

кафе - Das Café

стоянка машин - Der Parkplatz

церковь - Die Kirche

кинотеатр - Das Kino

цирк - Der Zirkus

город (большой) - Die Stadt

кафе - Das Café

угол - Die Ecke

перекрёсток - Die Kreuzung

переход - Die Fußgängerbrücke

зубной кабинет - Die Zahnarztpraxis

универмаг - Das Kaufhaus

врачебный кабинет - Der Arzt

аптека - Die Drogerie

пожарное депо - Die Feuerwehr

цветочный магазин - Das Blumengeschäft

клумба - Das Blumenbeet

фонтан - Der Brunnen

галерея - Die Galerie

автозаправочная станция - Die Tankstelle

ворота - Das Tor

парикмахерская - Der Friseur

больница - Das Krankenhaus

гостиница - Das Hotel

перекрёсток - Die Straßenkreuzung

библиотека - Die Bibliothek

карта - Die Karte

рынок - Der Markt

памятник - Das Monument

кино - Das Kino

музей - Das Museum

ночной клуб - Der Nachtclub

дворец - Der Palast

парк - Der Park

место стоянки автотранспорта - Der Parkplatz

тротуар - Das Pflaster

переход - Der Zebrastreifen

аптека - Die Apotheke

картинная галерея - Die Bildergalerie

полиция - Die Polizei

бассейн - Das Schwimmbad

почта - Die Post

ресторан - Das Restaurant

дорога - Die Straße

дорожный знак - Das Straßenschild

школа - Die Schule

скамья - Der Sitz

магазин - Das Geschäft

тротуар - Der Bürgersteig

небоскрёб - Der Wolkenkratzer

площадь - Der Platz

стадион - Das Stadion

киоск - Der Stall

статуя - Die Statue

магазин - Das Geschäft

улица - Die Straße

план города - Die Straßenkarte

окраина, пригород - Der Vorort

подземный переход - Die U-Bahn

супермаркет - Der Supermarkt

бассейн - Das Schwimmbad

стоянка такси - Der Taxistand

театр - Das Theater

город (небольшой) - Die Stadt

план города - Der Stadtplan

центральная площадь - Der Stadtplatz

светофор - Die Ampeln

ж.д. вокзал - Der Bahnhof

метро - Die Untergrundbahn

подземный переход - Die Unterführung

университет - Die Universität

зоопарк - Der Zoo

Школа - Die Schule

рюкзак - Der Rucksack

звонок - Die Glocke

биология - Die Biologie

классная доска - Die Tafel

перемена - Die Unterbrechung

калькулятор - Der Taschenrechner

стул - Der Sessel

мел - Die Kreide

химия - Die Chemie

зажим - Die Klemme

класс - Das Klassenzimmer

скрепка - Der Clip

планшет с зажимом - Das Klemmbrett

часы - Die Uhr

корректор - Die Korrekturflüssigkeit

учебный план - Der Lehrplan

парта - Der Schreibtisch

рисование - Die Zeichnung

образование - Die Bildung

резинка - Der Radiergummi

экзамен - Die Prüfung

экзамен - Die Untersuchung

папка - Die Datei

география - Die Erdkunde

глобус - Der Globus

клей - kleben

директор школы - Der Schulleiter

маркер - Der Textmarker

история - Die Geschichte

каникулы - Der Urlaub

урок, занятие - Die Lektion

запирающийся шкафчик - Das Schließfach

карта - Die Karte

оценка - Das Kennzeichen

маркер - Der Marker

математика - Die Mathematik

музыка - Die Musik

тетрадь - Das Notizbuch

блокнот - Der Notizblock

канцелярские товары - Der Bürobedarf

бумага - Das Papier

ручка - Der Stift

карандаш - Der Bleistift

пенал - Das Mäppchen

физика - Die Physik

дырокол - der Locher

ученик - Der Schüler

канцелярская кнопка - Die Reißzwecke

линейка - Das Lineal

школа - Die Schule

ножницы - Die Schere

скотч - Der Tesafilm

семестр - Das Semester

точилка - Der Anspitzer

степлер - Der Hefter

скобки для степлера - Die Heftklammern

канцелярские товары - Die Schreibwaren

стикер, наклейка - Der Aufkleber

студент - Der Schüler

клейкая лента - Das Band

учитель - Der Lehrer

контрольная работа - Der Test

учебник - Das Lehrbuch

расписание - Der Zeitplan

Профессии - Die Berufe

бухгалтер - Der Buchhalter

актёр - Der Schauspieler

администратор, руководитель - Der Administrator

архитектор - Der Architekt

художник - Der Künstler

спортсмен - Der Athlet

парикмахер - Der Herrenfriseur

бармен - Der Barkeeper

телохранитель - Der Leibwächter

строитель - Der Erbauer

кассир - Der Kassierer

уборщик - Der Reiniger

тренер - Der Trainer

композитор - Der Komponist

консультант, советник - Der Berater

повар - Der Koch

курьер - Der Kurier

зубной врач - Der Zahnarzt

конструктор, проектировщик - Der Designer

доктор, врач - Der Arzt

водитель - Der Fahrer

экономист - Der Ökonom

электрик - Der Elektriker

инженер - Der Ingenieur

финансист - Der Financier

пожарный - Der FeuerwehrmannDer

экскурсовод - Der Führer

парикмахер - Der Friseur

переводчик устный - Der Dolmetscher

журналист - Der Journalist

юрист, адвокат - Der Anwalt

библиотекарь - Der Bibliothekar

управляющий, менеджер - Manager

военнослужащий - Der Soldat

музыкант - Der Musiker

медсестра - Die Krankenschwester

фотограф - Der Fotograf

сантехник - Der Klempner

полицейский - Der Polizist

политик - Der Politiker

почтальон - Der Briefträger

священник - Der Priester

профессия - Der Beruf

программист - Der Programmierer

учёный - Der Wissenschaftler

секретарь - Die Sekretärin

продавец - Der Verkäufer

певец - Der Sänger

стилист - Der Stylist

таксист - Der Taxifahrer

учитель - Der Lehrer

ветеринар - Der Tierarzt

официант - Die Bedienung

писатель - Der Schriftsteller

Действия - Die Aktionen

сгибать(ся) - biegen

нести, носить - tragen

ловить; поймать - fangen

ползать - kriechen

нырять - tauchen

тянуть, тащить - ziehen

ударять (по чему-л.) - schlagen

держать; обнимать - halten

подпрыгивать - hüpfen

прыгать, скакать - springen

бить ногой - treten

прислонять, опирать - lehnen

поднятие, поднимать - aufheben

маршировать - marschieren

тянуть, тащить - ziehen

толкать; пихать - drücken

класть, ставить - stellen

бежать, бегать - laufen

сидеть; садиться - sitzen

прыгать, скакать - überspringen

шлёпать, хлопать - schlagen

приседать - hocken

тянуться, вытягиваться - strecken

бросать, кидать - werfen

ходить на цыпочках - auf Zehenspitzen gehen

идти, ходить - gehen

Музыка - Die Musik

аккомпанимент - Die musikalische Begleitung

аккордеон - Das Akkordeon

альбом - Das Album

волынка - Der Dudelsack

балалайка - Die Balalaika

балет - Das Ballett

группа - Das Band

контрабас - Der Bass

фагот - Das Fagott

дирижёрская палочка - Der Taktstock

смычок - Der Bogen

медные духовые инструменты - Die Blechbläser

виолончель - Das Cello

камерная музыка - Die Kammermusik

кларнет - Die Klarinette

классическая музыка - Die klassische Musik

писать музыку - komponieren

композитор - Der Komponist

концерт - Das Konzert

дирижёр - Der Dirigent

тарелки - Das Becken

барабан - Die Trommel

барабанные палочки - Die Trommelstöcke

флейта - Die Flöte

рояль - Der Konzertflügel

гитара - Die Gitarre

арфа - Die Harfe

рожок - Das Horn

инструментальная музыка - Die Instrumentalmusik

динамик, громкоговоритель - Der Lautsprecher

микрофон - Das Mikrofon

музыкальные инструменты - Die Musikinstrumente

музыкант - Der Musiker

гобой - Die Oboe

опера - Die Oper

оперетта - Die Operette

оркестр - Das Orchester

орган - Die Orgel

перкуссия, ударные инструменты - Das Schlagzeug

пианино - Das Klavier

сольный концерт - Die Aufführung

саксофон - Das Saxophon

сингл песня - Die Single

солист - Der Solist

песня - Das Lied

звук - Der Klang

струнные инструменты - Die Streichinstrumente

симфония - Die Symphonie

синтезатор - Der Synthesizer

записывать нотами - transkribieren

тромбон - Die Posaune

труба - Die Trompete

туба - Die Tuba

видео-клип - Das Video (Clip)

альт - Die Viola

скрипка - Die Geige

виртуоз - Der Virtuose

духовые инструменты - Die Blasinstrumente

Спорт - Der Sport

аэробика - Das Aerobic

атлетика - die Leichtathletik

баскетбол - Das Basketballspiel

боулинг - Das Bowling

бокс - Das Boxen

гребля на каноэ - Der Kanusport

езда на велосипеде - Das Radfahren

танцы - Das Tanzen

прыжки в воду, погружение - Das Tauchen

футбол - Das Fußballspiel

гольф - Das Golf

гимнастика - Die Gymnastik

хоккей - Das Eishockey

пробежка, бег трусцой - Das Jogging

дзюдо - Das Judo

карате - Das Karate

парашютный спорт - Das Fallschirmspringen

настольный теннис - Das Tischtennis

гонки - Das Rennen

плавание под парусами - Das Segeln

стрельба - Das Schießen

катание на роликовой доске - Das Skateboarding

катание на коньках - Das Skaten

катание на лыжах - Das Skifahren

катание на санях - Das Schlittenfahren
плавание - Das Schwimmen
футбол - Das Fußballspiel
теннис - Das Tennis
волейбол. - Das Volleyballspiel
тяжёлая атлетика - Das Gewichtheben
соревнование по борьбе - Das Ringen
парусный спорт - Das Segeln

Тело - Der Körper

лодыжка - Der Knöchel
рука - Der Arm
спина - Der Rücken
лысый - kahl
борода - Der Bart
тело - Der Körper
зад - Das Gesäß
икра (икры ног) - Die Waden
щека - Die Wange
грудная клетка - Die Brust
подбородок - Das Kinn
локоть - Der Ellbogen
глаз, глаза - Das Auge (die Augen)
бровь - Die Augenbraue
ресница - Die Wimper
веко - Das Augenlid
лицо - Das Gesicht
палец - Der Finger
ноготь - Der Fingernagel
стопа (стопы) - Der Fuß (die Füße)
лоб - Die Stirn
очки - Die Brille
волосы - Das Haar
волосатый - behaart
кисть руки - Die Hand
голова - Der Kopf
пятка - Die Hacke
указательный палец - Der Zeigefinger
колено - Das Knie
нога - Das Bein
губа, губы - Die Lippe(n)
мизинец - Der kleine Finger
человек, мужчина - Der Mann
средний палец - Der Mittelfinger
усы - Der Schnurrbart
рот - Der Mund
шея - Der Hals
нос - Die Nase
ладонь - Die Handinnenfläche
зрачок - Die Pupille
безымянный палец - Der Ringfinger
голень - Das Schienbein
плечо - Die Schulter
живот, желудок - Der Bauch
солнцезащитные очки - Die Sonnenbrille
бедро - Der Schenkel
большой палец - Der Daumen
палец ноги - Die Zehe

ноготь на пальце ноги - Der Zehennagel

язык - Die Zunge

зуб, зубы - Der Zahn (die Zähne)

талия - Die Taille

женщина - Die Frau

Природа - Die Natur

берег, пляж - Der Strand

каньон - Die Schlucht

морское побережье - Die Küste

пустыня - Die Wüste

поле, луг - Das Feld

лес - Der Wald

ледник - Der Gletscher

холм, возвышенность - Der Hügel

низина, впадина - Die Höhle

остров - Die Insel

джунгли, дебри - Der Dschungel

озеро - Die See

гора - Der Berg

природа - Die Natur

океан - Der Ozean

равнина - Die Ebene

пруд - Der Teich

река - Der Fluss

скала, камень - Der Felsen

море - Das Meer

Домашнее животное - Das Haustier

кот, кошка - Die Katze

собака - Der Hund

морская свинка - Das Meerschweinchen

хомяк - Der Hamster

лошадь - Das Pferd

котёнок - Das Kätzchen

домашнее животное - Das Haustier

свинья - Das Schwein

поросёнок - Das Ferkel

щенок - Der Welpe

кролик - Der Hase

Животные - Die Tiere

животное - Das Tier

летучая мышь - Die Fledermaus

медведь - Der Bär

бобёр - Der Biber

бизон - Der Bison

верблюд - Das Kamel

шимпанзе - Der Schimpanse

олень - Der Hirsch

осёл - Der Esel

слон - Der Elefant

лиса - Der Fuchs

жираф - Die Giraffe

горилла - Der Gorilla

бегемот - Das Nilpferd

конь, лошадь - Das Pferd

гиена - Die Hyäne

кенгуру - Das Känguru

коала - Der Koala

леопард - Der Leopard

лев - Der Löwe

лама - Das Lama

обезьяна - Der Affe

лось - Der Elch

мышь - Die Maus

панда - Der Pandabär

кабан - Das Schwein

заяц - Der Hase

крыса - Die Ratte

носорог - Das Nashorn

скунс - Der Skunk

белка - Das Eichhörnchen

тигр - Der Tiger

волк - Der Wolf

зебра - Das Zebra

Птицы - Die Vögel

птица - Der Vogel

канарейка - Der Kanarienvogel

курица - Das Hühnchen

журавль, цапля - Der Kranich

ворона - Die Krähe

кукушка - Der Kuckuck

утка - Die Ente

орёл - Der Adler

фламинго - Der Flamingo

гусь - Die Gans

сокол - Der Falke

колибри - Der Kolibri

страус - Der Vogel Strauß

сова, филин - Die Eule

попугай - Der Papagei

павлин - Der Pfau

пеликан - Der Pelikan

пингвин - Der Pinguin

фазан - Der Fasan

голубь - Die Taube

чайка - Die Möwe

воробей - Der Spatz

аист - Der Storch

ласточка - Die Schwalbe

лебедь - Der Schwan

дятел - Der Specht

Цветы - Die Blumen

букет - Der Strauß

камелия - Die Kamelie

гвоздика - Die Nelke

крокус - Der Krokus

нарцисс - Die Narzisse

георгина - Die Dahlie

маргаритка - Das Gänseblümchen

одуванчик - Der Löwenzahn

цветок - Die Blume

гладиолус - Die Gladiole

ирис - Die Iris

лаванда - Das Lavendel

лилия - Die Lilie

лотос - Der Lotus

нарцисс - Die Narzisse

орхидея - Die Orchidee
пион - Die Pfingstrose
мак - Der Mohn
роза - Die Rose
подснежник - Das Schneeglöckchen
подсолнух - Die Sonnenblume
тюльпан - Die Tulpe
фиалка - Das Veilchen

Деревья - Die Bäume

кора - Die Akazie
бук - Die Buche
берёза - Die Birke
ветка - Der Ast
каштан - Die Kastanie
шишка - Der Kegel
ель - Die Tanne
лес - Der Wald
лист - Das Blatt
липа - Die Linde
клён - Der Ahorn
дуб - Die Eiche
пальма - Die Palme
сосна - Die Kiefer
тополь - Die Pappel
корень - Die Wurzel
дерево - Der Baum
ствол - Der Baumstamm
ива - Die Weide

Море - Das Meer

аллигатор - Der Alligator
кашалот - Der Cachalot
коралл - Die Koralle
краб - Die Krabbe
речной рак - Der Flusskrebs
крокодил - Das Krokodil
дельфин - Der Delfin
рыба - Der Fisch
лягушка - Der Frosch
медуза - Die Qualle
омар - Der Hummer
моллюск - Das Weichtier
океан - Der Ozean
осьминог - Der Tintenfisch
выдра - Der Otter
море - Das Meer
морская змея - Die Seeschlange
тюлень - Der Seehund
акула - Der Hai
ракообразное - Die Meeresfrüchte
креветка - Die Garnele
улитка - Die Schnecke
морская звезда - Der Seestern
рыба-меч - Der Schwertfisch
черепаха земная - Die Schildkröte
черепаха - Die Schildkröte
морж - Das Walross
кит - Der Wal

Цвета - Die Farben

жёлтый - gelb

зелёный - grün

голубой, синий - blau

коричневый - braun

белый - weiß

красный - rot

оранжевый - orange

розовый - rosa

серый - grau

чёрный - schwarz

Размер - Die Größe

размер - Die Größe

маленький - klein

большой - groß

средний - mittel

маленький - klein

большой - groß

огромный - enorm

длинный - lang

короткий - kurz

широкий - breit

узкий - eng

высокий - hoch

высокий - groß

низкий - niedrig

глубокий - tief

мелкий - flach

толстый - dick

тонкий - dünn

далеко - weit

близко - in der Nähe von

Материалы -

Die Materialien

кирпич - Der Ziegel

картон - Der Karton

глина - Der Lehm

ткань - Das Tuch

бетон - Der Beton

стекло - Das Glas

кожа - Das Leder

материал - Das Material

металл - Das Metall

бумага - Das Papier

пластик - Der Kunststoff

резина - Das Gummi

камень - Der Stein

древесина - Das Holz

ткань - Der Stoff

Аэропорт - Der Flughafen

самолёт - Das Flugzeug

аэропорт - Der Flughafen

проход - Der Gang

подлокотник - Die Armlehne

рюкзак - Der Rucksack

багаж - Das Gepäck

посадка (на борт) - Das Einsteigen

салон (самолёта) - Die Kabine

ручная кладь - Das Fortfahren

кабина (самолёта) - Der Cockpit

таможня - Der Zoll

задержка - Die Verzögerung

место назначения - Das Reiseziel

авария - Der Notfall

рейс - Der Flug

корпус, фюзеляж - Der Rumpf

вход / выход - Das Gate

посадка, приземление - Die Landung

туалет - Die Toilette

спасательный жилет - Die Rettungsweste

жидкость - Die Flüssigkeit

пассажир - Der Passagier

паспорт - Der Reisepass

взлётно-посадочная полоса - Die Startbahn

расписание - Der Zeitplan

сиденье, место - Der Sitz

охранник - Der Sicherheitsbeamte

чемодан - Der Koffer

хвост - Das Heck

взлёт - Das Abheben

терминал - Der Terminal

билет - Die Fahrkarte

тележка - Der Wagen

шасси - Das Fahrwerk

виза - Das Visum

окно - Das Fenster

крыло - Der Flügel

География - Die Erdkunde

район, область - Der Bereich

столица - Die Hauptstadt

город - Die Stadt

страна - Das Land

район - Der Kreis

край, область - Die Region

государство / штат - Das Bundesland

небольшой город - Die Stadt

деревня - Das Dorf

мыс - Das Kap

отвесная скала, утёс - Das Kliff

ледник - Der Gletscher

холм - Der Hügel

гора - Der Berg

горная цепь - Die Bergkette / Bergkette -

ущелье - Der Pass

пик - Die Spitze

равнина - Die Ebene

плато, плоскогорье - Das Plateau

вершина - Der Gipfel

долина - Das Tal

вулкан - Der Vulkan

пустыня - Die Wüste

экватор - Der Äquator

лес - Der Wald

горная местность - Das Hochland

джунгли - Der Dschungel

низменность - Das Tiefland

оазис - Die Oase

болото, топь - Der Sumpf

тропики - Die Tropen

тундра - Die Tundra

канал - Der Kanal

озеро - Die See

океан - Der Ozean

океаническое течение - Die Meeresströmung

пруд, заводь, водоём - Der Pool / Teich

река - Der Fluss

море - Das Meer

источник, родник, ключ - Die Quelle

ручей - Der Strom

Преступления - Das Verbrechen

поджог - Die Brandstiftung

вооружённое / разбойное нападение - Der Angriff

двоежёнство - Die Bigamie

шантаж - Die Erpressung

взяточничество - Die Bestechung

кража со взломом - Der Einbruch

жестокое обращение с ребёнком - Der Kindesmissbrauch

заговор - Die Verschwörung

шпионаж - Die Spionage

подделка - Die Fälschung

мошенничество - Der Betrug

геноцид - Der Völkermord

угон транспортного средства - Die Entführung

убийство - Der Mord

похищение людей - Die Entführung

непредумышленное убийство - Der Totschlag

уличное ограбление - Der Überfall

убийство - Der Mord

лжесвидетельство - Der Meineid

изнасилование - Die Vergewaltigung

бунт - Das Randalieren

ограбление - Der Raub

воровство в магазине - Der Ladendiebstahl

клевета - Die Verleumdung

контрабанда - Der Schmuggel

государственная измена - Der Verrat

нарушение, вторжение - Das unerlaubte Betreten

Числа - Nummern

один - eins

два - zwei

три - drei

четыре - vier

пять - fünf

шесть - sechs

семь - Sieben

восемь - acht

девять - neun

десять - zehn

одиннадцать - elf

двенадцать - zwölf

тринадцать - dreizehn

четырнадцать - vierzehn

пятнадцать - fünfzehn

шестнадцать - sechzehn

семнадцать - siebzehn

восемнадцать - achtzehn

девятнадцать - neunzehn

двадцать - zwanzig

двадцать один - einundzwanzig

двадцать два - zweiundzwanzig

тридцать - dreißig

сорок - vierzig

пятьдесят - fünfzig

шестьдесят - sechzig

семьдесят - siebzig

восемьдесят - achtzig

девяносто - neunzig

сто - einhundert

сто один - einhundertundeins …

двести - zweihundert

тысяча - eintausend

миллион - eine Million

Порядковые числительные - Ordnungszahlen

первый - erste

второй - zweite

третий - dritte

четвёртый - vierte

пятый - fünfte

шестой - sechste

седьмой - siebte

восьмой - achte

девятый - neunte

десятый - zehnte

одиннадцатый - elfte

двенадцатый - zwölfte

тринадцатый - dreizehnte

четырнадцатый - vierzehnte

пятнадцатый - fünfzehnte

шестнадцатый - sechzehnte

семнадцатый - siebzehnte

восемнадцатый - achtzehnte

девятнадцатый - neunzehnte

двадцатый - zwanzigste

двадцать первый - einundzwanzigste

двадцать второй - zweiundzwanzigste

двадцать третий - dreiundzwanzigste

двадцать четвёртый - vierundzwanzigste

двадцать пятый - fünfundzwanzigste

двадцать шестой - sechsundzwanzigste

двадцать седьмой - siebenundzwanzigste

двадцать восьмой - achtundzwanzigste

двадцать девятый - neunundzwanzigste

тридцатый - dreißigste

сороковой - vierzigste

пятидесятый - fünfzigste

шестидесятый - sechzigste

семидесятый - siebzigste

восьмидесятый - achtzigste

девяностый - neunzigste

сотый - hundertste
тысячный - tausendste
миллионный - millionste

❑ Приложения - Anlagen

Anlage 1 Kasus der Substantive und Adjektive im Singular

Maskulinum

Kasus / Fragen

Именительный/Nominativ / Кто? Что? / Этот **человек** хороший. *Dieser Mensch ist gut.*

Родительный/Genitiv / Кого? Чего? Чей? / Вот паспорт этого хорошего **человека**. *Das ist der Pass dieses guten Menschen.*

Дательный/Dativ / Кому? Чему? / Дайте воды этому хорошему **человеку**. *Geben Sie diesem guten Menschen Wasser.*

Винительный/Akkusativ / Кого? Что? / Я знаю этого хорошего **человека**. *Ich kenne diesen guten Menschen.*

Творительный/Instrumental / (С) кем? (С) чем? / Я знаком с этим хорошим **человеком**. *Ich bin mit diesem guten Menschen bekannt.*

Предложный/Präpositiv / О ком? О чём? / Я слышал об этом хорошем **человеке**. *Ich habe von diesem guten Menschen gehört.*

Femininum

Kasus / Fragen

Именительный/Nominativ / Кто? Что? / Эта **женщина** хорошая. *Diese Frau ist gut.*

Родительный/Genitiv / Кого? Чего? Чей? / Вот паспорт этой хорошей **женщины**. *Das ist der Pass dieser guten Frau.*

Дательный/Dativ / Кому? Чему? / Дайте воды этой хорошей **женщине**. *Geben Sie dieser guten Frau Wasser.*

Винительный/Akkusativ / Кого? Что? / Я знаю эту хорошую **женщину**. *Ich kenne diese gute Frau.*

Творительный/Instrumental / (С) кем? (С) чем? / Я знаком с этой хорошей **женщиной**. *Ich bin mit dieser guten Frau bekannt.*

Предложный/Präpositiv / О ком? О чём? / Я слышал об этой хорошей **женщине**. *Ich habe von dieser guten Frau gehört.*

Neutrum

Kasus / Fragen

Именительный/Nominativ / Кто? Что? / Это **письмо** важное. *Dieser Brief ist wichtig.*

Родительный/Genitiv / Кого? Чего? Чей? / Вот адрес этого важного **письма**. *Das ist die Adresse dieses wichtigen Briefs.*

Дательный/Dativ / Кому? Чему? / Уделите внимание этому важному **письму**. *Lenken Sie ihre Aufmerksamkeit auf diesen wichtigen Brief.*

Винительный/Akkusativ / Кого? Что? / Я прочитал это важное **письмо**. *Ich habe diesen wichtigen Brief gelesen.*

Творительный/Instrumental / (С) кем? (С) чем? / Я знаком с этим важным **письмом**. *Ich kenne diesen wichtigen Brief.*

Предложный/Präpositiv / О ком? О чём? / Я знаю об этом важном **письме**. *Ich habe von diesem wichtigen Brief erfahren.*

Anlage 2 Demonstrativpronomen этот - dieser

Geschlecht: Maskulinum / Femininum / Neutrum / Plural
Nominativ: Этот / Эта / Это / Эти
Akkusativ *belebt:* Этого / Эту / Это / Этих
Akkusativ *unbelebt:* Этот / Эту / Это / Эти
Genitiv: Этого / Этой / Этого / Этих
Dativ: Этому / Этой / Этому / Этим
Instrumental: Этим / Этой / Этим / Этими
Präpositiv: Этом / Этой / Этом / Этих

Anlage 3 Kasus der Substantive und Adjektive im Plural

Maskulinum

Kasus / Fragen
Именительный/Nominativ / Кто? Что? / Эти **студенты** хорошие. *Diese Studenten sind gut.*
Родительный/Genitiv / Кого? Чего? Чей? / Вот паспорта этих хороших **студентов**. *Das sind die Pässe dieser guten Studenten.*
Дательный/Dativ / Кому? Чему? / Дайте воды этим хорошим **студентам**. *Geben Sie diesen guten Studenten Wasser.*
Винительный/Akkusativ / Кого? Что? / Я знаю этих хороших **студентов**. *Ich kenne diese guten Studenten.*
Творительный/Instrumental / (С) кем? (С) чем? / Я знаком с этими хорошими **студентами**. *Ich bin mit diesen guten Studenten bekannt.*
Предложный/Präpositiv / О ком? О чём? / Я слышал об этих хороших **студентах**. *Ich habe von diesen guten Studenten gehört.*

Femininum

Kasus / Fragen
Именительный/Nominativ / Кто? Что? / Эти **женщины** хорошие. *Diese Frauen sind gut.*
Родительный/Genitiv / Кого? Чего? Чей? / Вот паспорта этих хороших **женщин**. *Das sind die Pässe dieser guten Frauen.*
Дательный/Dativ / Кому? Чему? / Дайте воды этим хорошим **женщинам**. *Geben Sie diesen guten Frauen Wasser.*
Винительный/Akkusativ / Кого? Что? / Я знаю этих хороших **женщин**. *Ich kenne diese guten Frauen.*
Творительный/Instrumental / (С) кем? (С) чем? / Я знаком с этими хорошими **женщинами**. *Ich bin mit diesen guten Frauen bekannt.*

Предложный/Präpositiv / О ком? О чём? / Я слышал об этих хороших **женщинах**. *Ich habe von diesen guten Frauen gehört.*

Neutrum

Kasus / Fragen
Именительный/Nominativ / Кто? Что? / Эти **письма** важные. *Diese Briefe sind wichtig.*
Родительный/Genitiv / Кого? Чего? Чей? / Вот адреса этих важных **писем**. *Das sind die Adressen dieser wichtigen Briefe.*
Дательный/Dativ / Кому? Чему? / Уделите внимание этим важным **письмам**. *Lenken Sie ihre Aufmerksamkeit auf diese wichtigen Briefe.*
Винительный/Akkusativ / Кого? Что? / Я прочитал эти важные **письма**. *Ich habe diese wichtigen Briefe gelesen.*
Творительный/Instrumental / (С) кем? (С) чем? / Я знаком с этими важными **письмами**. *Ich kenne diese wichtigen Briefe.*
Предложный/Präpositiv / О ком? О чём? / Я знаю об этих важных **письмах**. *Ich habe von diesen wichtigen Briefen erfahren.*

Anlage 4 Demonstrativpronomen тот - jener

Geschlecht: Maskulinum / Femininum / Neutrum / Plural
Nominativ: Тот / Та / То / Те
Akkusativ belebt: Того / Ту / То / Тех
Akkusativ unbelebt: Тот / Ту / То / Те
Genitiv: Того / Той / Того / Тех
Dativ: Тому / Той / Тому / Тем
Instrumental: Тем / Той / Тем / Теми
Präpositiv: Том / Той / Том / Тех

Anlage 5 Präteritum

Die Vergangenheit im Russischen ist ziemlich leicht zu bilden. Wenn Sie diese Form benutzen, können Sie auf Russisch etwas erzählen, was auch sehr hilfsreich ist, wenn Sie anderen Menschen von sich selbst erzählen.
Im Deutschen und im Englischen gibt es einige Formen der Vergangenheit, aber im Russischen nur eine Form - das Präteritum. Allerdings hat die russische Sprache Aspekte, die zeigen, ob die Handlung vollendet (perfekt) oder unvollendet (imperfekt) ist.
Dabei muss man das Geschlecht des Subjekts berücksichtigen. Man muss den Stamm des Verbs nehmen und eine von folgenden Endungen hinzufügen:
Maskulinum: -л : работал *(arbeitete)* Я работал вчера. *Ich arbeitete gestern.*
Femininum: -ла : работала *(arbeitete)* Она работала в пятницу. *Sie arbeitete am Freitag.*
Neutrum: -ло : работало *(arbeitete)* Кафе не работало на выходных. *Im Café arbeitete man am Wochenende nicht.*

Plural: -ли : работали *(arbeiteten).* Мы работали в России в прошлом году. *Wir arbeiteten in Russland im vorigen Jahr.*

Anmerkung: die Endungen des Verbs entsprechen verschiedenen Formen des Pronomens он *(er)*. Das muss Ihnen helfen, die Formen des Verbs zu behalten. Wenn Sie solche Pronomen wie я *(ich)*, ты *(du)*, and Вы *(Sie)* benutzen, ist das vom Geschlecht der Person abhängig:

Он говорил *(er sagte)*
Она говорила *(sie sagte)*
Оно говорило *(es sagte)*
Они говорили *(sie sagten)*
Мы говорили *(wir sagten)*
Я говорил *(ich sagte)* - männliche Person
Я говорила *(ich sagte)* - weibliche Person
Ты говорил *(du sagtest)* - sich wenden an männliche Person
Ты говорила *(du sagtest)* - sich wenden an weibliche Person
Евгений говорил *(Eugen sagte)*
Продавец говорил *(Der Verkäufer sagte)*
Анна говорила *(Anna sagte)*
Дочь говорила *(Tochter sagte)*

Anlage 6 Vorsilben des Verbs der Bewegung

Imperfekt / Perfekt
входить / войти *eintreten*
выходить / выйти *austreten*
всходить / взойти *aufsteigen*
доходить / дойти *erreichen*
заходить / зайти *vorbeikommen, abholen*
обходить / обойти *umgehen*
отходить / отойти *weggehen*
переходить / перейти *übergehen*
подходить / подойти *herankommen*
приходить / прийти *kommen*
проходить / пройти *durchgehen*
сходить / сойти *hinuntergehen*
уходить / уйти *gehen*

Anlage 7 Konjugierte Verben

Imperfekt / Perfekt / Übersetzung
Бегать / Побежать / *laufen*
Бродить / Побрести / *wandern*
Быть / Побыть / *sein*
Видеть / Увидеть / *sehen*
Водить / Повести / *führen*
Возить / Повезти / *führen*
Говорить / Сказать / *sprechen, sagen*
Гонять / Погнать / *treiben*
Давать / Дать / *geben*
Делать / Сделать / *machen, tun*
Думать / Подумать / *denken*
Ездить / Поехать / *fahren*
Есть / Съесть / *essen*
Жить / Прожить / *leben*
Знать / Узнать / *wissen, kennen*
Изучать / Изучить / *studieren*
Иметь / *haben*
Лазить / Полезть / *klettern*
Летать / Полететь / *fliegen*

Любить / Полюбить / *lieben*
Мочь / Смочь / *können*
Носить / Понести / *tragen*
Плавать / Поплыть / *schwimmen*
Ползать / Поползти / *kriechen*
Понимать / Понять / *verstehen*
Работать / Поработать /*arbeiten*
Сидеть / Посидеть / *sitzen*
Слушать(-ся) / Послушать(-ся) / *hören (gehorchen)*
Смотреть(-ся) / Посмотреть(-ся) / *sehen (sich besehen), schauen*
Спрашивать / Спросить / *fragen*
Становиться / Стать / *werden*
Стоять / Постоять / *stehen*
Таскать / Потащить / *schleppen*
Ходить / Пойти / *gehen*
Хотеть(-ся) / Захотеть(-ся) / *wollen, wünschen*
Читать / Прочитать / *lesen*

Anlage 8 Personalpronomen

Singular

1. Person / 2. Person / 3. Person (Mask.) / 3. Person (Fem.) / 3. Person (Neut.)
Nominativ: Я / Ты / Он / Она / Оно Ich, Du, Er, Sie, Es
Akkusativ: Меня / Тебя / Его / Её / Его Mich, Dich, Ihn, Ihr, Es
Genitiv: Меня / Тебя / Его / Её / Его
Dativ: Мне / Тебе / Ему / Ей / Ему Mir, Dir, Ihm, Ihr, Ihm
Instrumental: Мной / Тобой / Им / Ей / Им von (mit) Mir, Dir, Ihm, Ihr, Ihm
Präpositiv: Мне / Тебе / Нём / Ней / Нём von Mir, Dir, Ihm, Ihr, Ihm

Plural

1. Person / 2. Person / 3. Person
Nominativ: Мы / Вы / Они Wir, Sie, Sie
Akkusativ: Нас / Вас / Их Uns, Sie, Sie
Genitiv: Нас / Вас / Их
Dativ: Нам / Вам / Им Uns, Ihnen, Ihnen
Instrumental: Нами / Вами / Ими von (mit) Uns, Ihnen, Ihnen
Präpositiv: Нас / Вас / Них von Uns, Ihnen, Ihnen

Anlage 9 Possessivpronomen

1. Person „Mein"

Mask. / Fem. / Neut. / Plural
Nominativ: Мой / Моя / Моё / Мои
Akkusativ *belebt*: Моего / Мою / Моё
Akkusativ *unbelebt*: Мой / Мою / Моё
Genitiv: Моего / Моей / Моего / Моих
Dativ: Моему / Моей / Моему / Моим
Instrumental: Моим / Моей / Моим / Моими
Präpositiv: Моём / Моей / Моём / Моих

2. Person "Dein"

Mask. / Fem. / Neut. / Plural
Nominativ: Твой / Твоя / Твоё / Твои
Akkusativ *belebt*: Твоего / Твою / Твоё / Твоих
Akkusativ *unbelebt*: Твой / Твою / Твоё / Твои
Genitiv: Твоего / Твоей / Твоего / Твоих
Dativ: Твоему / Твоей / Твоему / Твоим
Instrumental: Твоим / Твоей / Твоим / Твоими
Präpositiv: Твоём / Твоей / Твоём / Твоих

1. Person "Unser"

Mask. / Fem. / Neut. / Plural
Nominativ: Наш / Наша / Наше / Наши
Akkusativ *belebt*: Нашего / Нашу / Наше / Наших
Akkusativ *unbelebt*: Наш / Нашу / Наше / Наши
Genitiv: Нашего / Нашей / Нашего / Наших
Dativ: Нашему / Нашей / Нашему / Нашим
Instrumental: Нашим / Нашей / Нашим / Нашими
Präpositiv: Нашем / Нашей / Нашем / Наших

2. Person Ihr

Mask. / Fem. / Neut. / Plural
Nominativ: Ваш / Ваша / Ваше / Ваши
Akkusativ *belebt*: Вашего / Вашу / Ваше / Ваших
Akkusativ *unbelebt*: Ваш / Вашу / Ваше / Ваши
Genitiv: Вашего / Вашей / Вашего / Ваших
Dativ: Вашему / Вашей / Вашему / Вашим
Instrumental: Вашим / Вашей / Вашим / Вашими
Präpositiv: Вашем / Вашей / Вашем / Ваших

Anlage 10 Possessivpronomen 3. Person

3. Person von Possessivpronomen (его - sein, её - ihr, его - sein, их - ihr) nehmen das Geschlecht und die Zahl der entsprechenden Person (Objekt):
Её книга. *Ihr Buch.*
Его книга. *Sein Buch.*
Их книги. *Ihre Bücher.*

Anlage 11 Reflexive Personalpronomen себя (sich)

Nominativ: --
Akkusativ: Себя
Genitiv: Себя

Dativ: Себе
Instrumental: Собой
Präpositiv: Себе

Anlage 12 Reflexives Possessivpronomen свой eigen

Mask. / Fem. / Neut. / Plural
Nominativ: Свой / Своя / Своё / Свои
Akkusativ *belebt*: Своего / Свою / Своё / Своих
Akkusativ *unbelebt*: Свой / Свою / Своё / Свои
Genitiv: Своего / Своей / Своего / Своих
Dativ: Своему / Своей / Своему / Своим
Instrumental: Своим / Своей / Своим / Своими
Präpositiv: Своём / Своей / Своём / Своих

Anlage 13 Pronomen сам selbst, selber

Mask. / Fem. / Neut. / Plural
Nominativ: Сам / Сама / Само / Сами
Akkusativ *belebt*: Самого / Саму / Само / Самих
Akkusativ *unbelebt*: Сам / Саму / Само / Сами
Genitiv: Самого / Самой / Самого / Самих
Dativ: Самому / Самой / Самому / Самим
Instrumental: Самим / Самой / Самим / Самими
Präpositiv: Самом / Самой / Самом / Самих

Anlage 14 Pronomen весь alles, ganz

Mask. / Fem. / Neut. / Plural
Nominativ: Весь / Вся / Всё / Все
Akkusativ *belebt*: Всего / Всю / Всё / Всех
Akkusativ *unbelebt*: Весь / Всю / Всё / Все
Genitiv: Всего / Всей / Всего / Всех
Dativ: Всему / Всей / Всему / Всем
Instrumental: Всем / Всей / Всем / Всеми
Präpositiv: Всём / Всей / Всём / Всех

Anlage 15 Einige wichtige Adjektive

ähnlich - подобный
alt - старый
angenehm - приятный
aufmerksam - внимательный
bequem - удобный
billig - дешёвый

dicht - густой
dick - толстый
dunkel - тёмный
einfach - простой
einmalig - единственный
erst - первый
fertig - готовый
fest - крепкий
geachted - уважаемый
geliebt - любимый
gewöhnlich - обычный
glücklich - счастливый
groß - большой
groß - великий
gut - хороший
gutherzig - добрый
hart - твёрдый
Haupt- - главный
heiß - жаркий
hell - яркий
hoch - высокий
interessant - интересный
jung - молодой
kalt - холодный
klein - маленький
langsam - медленный
langweilig - скучный
laut - громкий
lebendig - живой
leer - пустой
leicht - лёгкий
letzt - последний
neu - новый
notwendig - необходимый
oft - частый
persönlich - личный
privat - частный
riesig - огромный
ruhig - спокойный
sauber - чистый
scharf - острый
schlecht - плохой
schmutzig - грязный
schnell - быстрый
schnell - быстрый
schön - красивый
schrecklich - страшный
schwer - тяжёлый
schwierig - трудный
seltsam - странный
stark - сильный
streng - строгий
süß - сладкий
teuer - дорогой
traurig - грустный
trocken - сухой
verschieden - разный
voll - полный
warm - тёплый
weich - мягкий
weit - далёкий
wichtig - важный

Рекомендованные книги

Buchtipps

Das Erste Russische Lesebuch für Anfänger Band 1

Zweisprachig mit Russisch-deutscher Übersetzung Stufen A1 A2

Das Buch enthält einen Kurs für Anfänger und fortgeschrittene Anfänger, wobei die Texte auf Deutsch und auf Russisch nebeneinanderstehen. Die Motivation des Schülers wird durch lustige Alltagsgeschichten über das Kennenlernen neuer Freunde, Studieren, die Arbeitssuche, das Arbeiten etc. aufrechterhalten. Die dabei verwendete Methode basiert auf der natürlichen menschlichen Gabe, sich Wörter zu merken, die immer wieder und systematisch im Text auftauchen. Sätze werden stets aus den im vorherigen Kapitel erklärten Wörtern gebildet. Die Audiodateien und Leseprobe sind auf www.audiolego.com/Buch/Russisch-Band1 inklusive erhältlich.

Das Erste Russische Lesebuch für Anfänger Band 2

Zweisprachig mit Russisch-deutscher Übersetzung Stufe A2

Dieses Buch ist Band 2 des Ersten Russischen Lesebuches für Anfänger. Das Buch enthält einen Kurs für Anfänger und fortgeschrittene Anfänger, wobei die Texte auf Russisch und auf Deutsch nebeneinanderstehen. Die dabei verwendete Methode basiert auf der natürlichen menschlichen Gabe, sich Wörter zu merken, die immer wieder und systematisch im Text auftauchen. Sätze werden stets aus den im vorherigen Kapitel erklärten Wörtern gebildet. Die Audiodateien sind auf www.audiolego.com/Buch/Russisch-Band2 inklusive erhältlich.

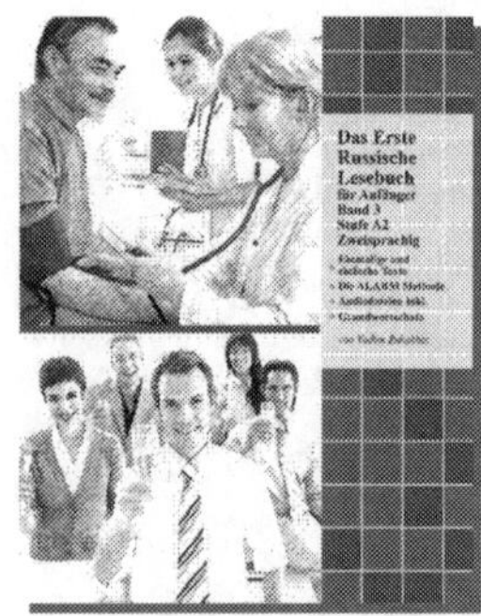

Das Erste Russische Lesebuch für Anfänger Band 3

Zweisprachig mit Russisch-deutscher Übersetzung Stufe A2

Dieses Buch ist Band 3 des Ersten Russischen Lesebuches für Anfänger. Das Buch enthält einen Kurs für Anfänger und fortgeschrittene Anfänger, wobei die Texte auf Russisch und auf Deutsch nebeneinanderstehen. Die dabei verwendete Methode basiert auf der natürlichen menschlichen Gabe, sich Wörter zu merken, die immer wieder und systematisch im Text auftauchen. Sätze werden stets aus den im vorherigen Kapitel erklärten Wörtern gebildet. Die Audiodateien sind auf www.audiolego.com/Buch/Russisch-Band3 inklusive erhältlich.

Das Zweite Russische Lesebuch

Zweisprachig mit Russisch-deutscher Übersetzung

Stufen A2 B1

Ein Privatdetektiv ist hinter der Frau her, die er liebt. Ehemaliger Luftwaffenpilot, entdeckt er einige Seiten in der menschlichen Natur, mit denen er nicht zurechtkommen kann. Dieses Buch ist bestens für Sie geeignet, wenn Sie bereits Erfahrung mit der russischen Sprache haben. Das Buch ist nach der Methode aufgebaut. Neue Worte werden im Buch von Zeit zu Zeit wiederholt, dadurch können Sie sich leichter an sie erinnern. Die Audiodateien sind auf www.audiolego.com/Buch/Russisch-Band4 inklusive erhältlich.

Das Erste Russische Lesebuch für Medizinische Fachangestellte

Zweisprachig mit Russisch-deutscher Übersetzung

Stufen A1 A2

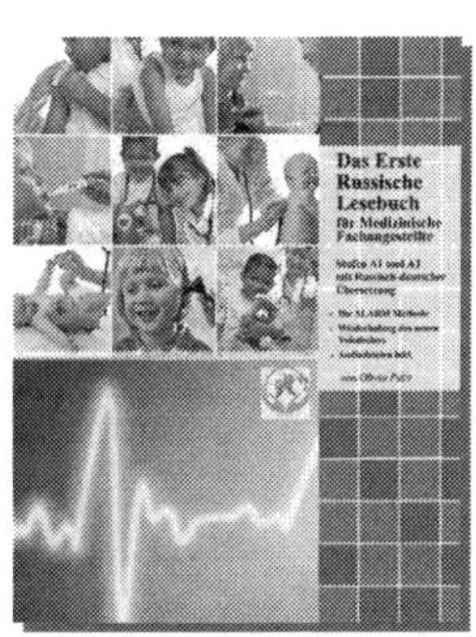

Bei diesem Lehrbuch handelt es sich um ein Lesebuch speziell für medizinische Fachangestellte, und dementsprechend behandeln die Lektionstexte und Vokabeln auch Themen wie Patientengespräche, Diagnostik, die Beschreibung von Symptomen und vieles mehr, was man im Kontakt mit Ärzten und Patienten braucht. Ein praktisches Lesebuch, das anhand von Texten, die typische Situationen in Krankenhaus und Arztpraxis behandeln, ein umfangreiches medizinisches Vokabular vermittelt. Die Audiodateien sind auf www.audiolego.com/Buch/Russisch-Band13 inklusive erhältlich.

Das Erste Russische Lesebuch zum Kochen

Zweisprachig mit Russisch-deutscher Übersetzung

Stufen A1 A2

Lernt man eine Sprache, hilft die Bekanntheit mit einem Thema, eine Verbindung zwischen zwei Sprachen herzustellen. Das Erste Russische Lesebuch zum Kochen stellt die Wörter und Sätze sowohl in Russisch als auch in Deutsch zur Verfügung. Fünfundzwanzig Kapitel sind in Themen und Inhalte bezüglich Kochen und Nahrung gegliedert. Rezeptanleitungen, zusammen mit leichten Fragen und Antworten, zeigen den Gebrauch dieser Wörter und Sätze. Zusätzliche Hilfe beinhalten die Russisch-Deutsche und Deutsch-Russische Wörterbücher. Es könnte Ihren Appetit anregen oder Russischlernenden wie Ihnen helfen, ihre Kenntnis in einem bekannten Umfeld der Küche zu verbessern. Die Audiodateien sind auf www.audiolego.com/Buch/Russisch-Band9 inklusive erhältlich.

Das Erste Russische Lesebuch für Touristen

Zweisprachig mit Russisch-deutscher Übersetzung
Stufe A1

Das Lesebuch ist ein Kurs für Anfänger, wobei die Texte auf Deutsch und auf Russisch nebeneinanderstehen. Es ist der ideale Begleiter für alle, die Sprachen unterwegs lernen wollen. Das Buch enthält am häufigsten gebrauchten Wörter, einfache Sätze und Redewendungen, um sich schnell zu verständigen. Die dabei verwendete Methode basiert auf der natürlichen menschlichen Gabe, sich Wörter zu merken, die immer wieder und systematisch im Text auftauchen. Sätze werden stets aus den im vorherigen Kapitel erklärten Wörtern gebildet. Die Audiodateien sind auf www.audiolego.com/Buch/Russisch-Band14 inklusive erhältlich.

Das Erste Russische Lesebuch für Familien

Zweisprachig mit Russisch-deutscher Übersetzung Stufen A1 A2

Das Buch enthält eine Darstellung der russischen Gespräche des täglichen Familienlebens, wobei die Texte auf Russisch und auf Deutsch nebeneinander stehen. Die Lektionen sind in mehrere Blöcke unterteilt: Vokabelliste für den täglichen Gebrauch, zweisprachige Texte, und Verständnisfragen zu den Gesprächsinhalten. Die dabei verwendete Methode basiert auf der natürlichen menschlichen Gabe, sich Wörter zu merken, die immer wieder und systematisch im Text auftauchen. Sätze werden stets aus den im vorherigen Kapitel erklärten Wörtern gebildet. Die Audiodateien sind auf www.audiolego.com/Buch/Russisch-Band15 inklusive erhältlich.

Das Erste Russische Lesebuch für Kaufmännische Berufe und Wirtschaft

Zweisprachig mit Russisch-deutscher Übersetzung
Stufen A1 A2

Der Inhalt des Buches ist aufgeteilt in 25 Kapitel, die auf die Stufen A1 und A2 des gemeinsamen europäischen Referenzrahmen vorbereiten sollen. In jedem Kapitel wird eine Anzahl an Vokabeln vermittelt, die anschließend direkt in kurzen, einprägsamen Sätzen und Texten veranschaulicht werden. Dabei handelt es sich durchgehend um alltagstaugliches Material für Berufssituationen wie Telefonate, Besprechungen, Geschäftsreisen und Geschäftskorrespondenz. Der Clou aber ist, dass sich jeweils zwei Spalten durch die Lektionen ziehen: links die russischen Übungssätze und Texte, rechts die deutsche Übersetzung. Dazu gibt es inklusive Audiodateien auf www.audiolego.com/Buch/Russisch-Band12

Das Erste Russische Lesebuch für Studenten

Zweisprachig mit Russisch-deutscher Übersetzung

Stufen A1 A2

Das Buch enthält einen Kurs für Anfänger und fortgeschrittene Anfänger, wobei die Texte auf Deutsch und auf Russisch nebeneinanderstehen. Die Dialoge sind praxisnah und alltagstauglich. Die dabei verwendete Methode basiert auf der natürlichen menschlichen Gabe, sich Wörter zu merken, die immer wieder und systematisch im Text auftauchen. In jedem Kapitel wird eine Anzahl an Vokabeln vermittelt, die anschließend direkt in kurzen, einprägsamen Texten und Dialogen veranschaulicht werden. Die Audiodateien sind auf www.audiolego.com/Buch/Russisch-Band10 inklusive erhältlich.

Кто потерял деньги?
Wer verlor das Geld?

Das Erste Russische Lesebuch für Stufen A1 und A2

Zweisprachig mit Russisch-Deutscher Übersetzung

Der erste Teil des Buches erklärt mit Beispielen den grundlegenden Satzbau der russischen Sprache, wobei die Texte auf Russisch und auf Deutsch für einen leichteren Einsicht nebeneinander stehen. Der zweite Buchteil stellt einen Krimi dar. Die dabei verwendete Methode basiert auf der natürlichen menschlichen Gabe, sich Wörter zu merken, die immer wieder und systematisch im Text auftauchen. Sätze werden stets aus den im vorherigen Kapitel erklärten Wörtern gebildet. Die Audiodateien und Leseprobe sind auf www.audiolego.com/Buch/Russisch-Band16 inklusive erhältlich.

Zeitfracht Medien GmbH
Ferdinand-Jühlke-Straße 7
99095 Erfurt, Deutschland
produktsicherheit@kolibri360.de